IRRESISTÍVEL

SYLVIA DAY

IRRESISTÍVEL

Tradução de J. Alexandre

Hamelin

Título original: *Seven Years to Sin*

Edição brasileira

Diretor editorial *Pedro Almeida*
Coordenadora de produto *Daniella Tucci*
Editor-assistente *André Fonseca*
Tradução *J. Alexandre*
Preparação *Alexandra Fonseca*
Revisão *Patrícia Rasmussen e Rinaldo Milesi*
Capa e projeto gráfico *Osmane Garcia Filho*

Dados Internacionais de Catalogação na Publicação (CIP)
(Câmara Brasileira do Livro, SP, Brasil)

Day, Sylvia
Irresistível / Sylvia Day ; tradução de J. Alexandre – São Paulo: Hamelyn, 2013.

Título original: Seven years to sin
ISBN: 978-85-8186-122-7

1. Ficção Inglesa. 2. Romance. 3. Romances Eróticos. I. Título.

12-11293 CDD-823

Índice para catálogo sistemático:
1. Ficção: Literatura Inglesa 823

Hamelin é um selo da Editora Lafonte criado para abrigar os livros de ficção.

1ª reimpressão: 2013
1ª edição brasileira: 2013
Direitos de edição em língua portuguesa, para o Brasil, adquiridos por Editora Lafonte Ltda.

Av. Profa. Ida Kolb, 551 – 3º andar – São Paulo – SP – CEP 02518-000
Tel.: 55 11 3855-2294 / Fax: 55 11 3855-2280
atendimento@editoralafonte.com.br • www.editoralafonte.com.br

A todos os leitores que
apreciaram o best-seller Toda Sua.

PRÓLOGO

HAVIA ALGO DE IRRESISTIVELMENTE EXCITANTE EM observar dois rapazes bonitos e atléticos empenhados em uma luta corpo a corpo. Sem camisa, seus músculos eram ressaltados graças a uma agressividade nem sempre fingida. O lado animalesco do embate despertava os mais primitivos instintos em toda mulher.

Jessica Sheffield, ou simplesmente Jess, não ficou imune a tal estímulo, ao contrário do que tinha aprendido sobre como uma dama deveria ser. Ela não conseguia tirar os olhos dos dois jovens que se embatiam com exuberância no gramado oposto a uma lagoa estreita e rasa. Um deles logo se tornaria seu cunhado; o outro era amigo do primeiro e possuía uma beleza sóbria, sutil, que o poupava, e muito, das censuras que talvez fizesse por merecer.

— Gostaria de trombar e cair abraçada a um deles — disse Hester, irmã de Jess. Ela também contemplava a cena de onde estava sentada, à sombra de um velho carvalho. Uma brisa gentil as refrescava, movendo a grama por toda a área externa da mansão Pennington. A grande casa se erguia perto do escudo protetor de uma colina arborizada, com sua fachada amarela captando a luz solar e proporcionando uma sensação de serenidade a todos os visitantes.

Jess voltou a prestar atenção em seu tricô, lamentando que tivesse de recriminar a irmã adolescente por admirar os lutadores quando ela também era culpada pela mesma conduta.

— Essa brincadeira não é para mulheres que já saíram da infância. Melhor não cobiçar o que está fora do seu alcance.

— Por que os homens podem ser garotos por toda a vida, enquanto as mulheres precisam amadurecer ainda durante a juventude?

— O mundo foi feito para os homens — disse Jess resignadamente. Sob a aba larga de seu chapéu de palha, ela lançou mais um olhar para os dois rapazes. Uma voz enérgica então se fez ouvir e paralisou os lutadores. Simultaneamente, todos os rostos se voltaram na mesma direção. Jess viu seu noivo se aproximando e a tensão a deixou apreensiva. Não pela primeira vez, imaginou se perderia a calma diante de uma briga ou se já estava habituada a temer um homem de cuja arrogância nunca se livraria.

Alto e elegante, Benedict Reginald Sinclair, visconde de Tarley e futuro conde de Pennington, surgiu na extremidade do terreno como quem conhecia o próprio poder. Alguns homens se contentam com o mero desfrute de sua importância social, mas outros sentem necessidade de exibi-la de forma indiscriminada.

— E qual é a contribuição da mulher para o mundo? — perguntou Hester, retomando a discussão com Jess, faceira do alto de seus dezesseis anos, e sem retrair-se diante da aproximação de Tarley. — Servir aos homens?

— Criá-los — emendou a irmã.

Jess, que se casaria com o visconde no dia seguinte na capela da família, depois de ter sido selecionada entre diversas pretendentes, ponderou se suportaria pelo resto da existência o assumido autoritarismo do noivo. Mas por várias razões correria o risco, sendo a principal ver-se livre do imprevisível e grosseiro pai que tinha. Não questionava o direito do marquês de Hadley de buscar ascensão social para a filha e exigir a colaboração dela nesse sentido. O que Jess deplorava eram as maneiras rudes do marquês, causadoras de muitos desentendimentos entre ambos.

— É o que nosso pai costuma dizer — completou Hester com um suspiro desanimado.

— É a visão dominante no nosso mundo. Quem a conhece melhor do que você e eu? — Os incessantes esforços de madame Hadley para dar um herdeiro varão ao marquês tinham lhe custado a vida. O pai havia se casado de novo e perdido uma terceira filha, mas depois de cinco anos ele finalmente pudera festejar o nascimento do precioso descendente.

— Não acredito que Tarley veja a esposa como uma simples reprodutora — disse Hester à irmã. — Acho que ele é gentil com você.

— De fato — retrucou Jess, menos convicta. — Na verdade, ele não teria se interessado por mim se não viesse de uma boa família. — Ela conferiu para ver se Benedict não estava perto o suficiente para escutá-la. Ele ouvira a gritaria de um ponto distante da lagoa e, desajeitado, corria para lá, disposto a repreender Michael, seu irmão mais novo, pela luta simulada. Já Alistair Caulfield, amigo e hóspede de Michael, exibia como sempre uma postura desafiadora, orgulhosa, além de impressionar pela beleza física.

— Você garante que será feliz com ele? — insistiu Hester, inclinando-se na direção da irmã mais velha. Os olhos verdes, da cor do gramado onde estavam sentadas, estavam cheios de preocupação. Era um traço herdado da mãe de ambas, bem como as pálidas tranças. Jess tinha os mesmos olhos cinzentos do pai, única parte dele realmente doada sem que pedisse algo em troca.

— Pretendo ser. — Não havia por que preocupar a irmã ainda mais. Tarley tinha sido uma escolha do pai, e Jess precisava acostumar-se com ele, fosse qual fosse o resultado do casamento.

Hester pressionou:

— Não quero que nenhuma de nós deixe este mundo com o mesmo alívio mostrado por nossa mãe. A vida é para ser saboreada, desfrutada.

Jess felicitou a índole bondosa de Hester, rezando para que ela nunca a perdesse.

— Tarley e eu nos respeitamos. Ele é culto, inteligente, atencioso. Não se pode menosprezar isso.

— Sim, você tem razão. — Hester sorriu. — Espero que papai escolha para mim um homem igualmente simpático.

— Tem alguém em vista?

— Não propriamente. — Ela olhou para os três homens que caminhavam juntos, com ar sério. — Gostaria de um homem com a personalidade jovial de Michael e a aparência de Caulfield, provavelmente o rapaz mais bonito da Inglaterra. Uma combinação perfeita, mas não sei se posso esperar tanto assim.

— Bem, há a questão da diferença de idade. Você é jovem demais.

— Mas sei de homens mais velhos que se casaram com mulheres mais novas que eu.

— Certo. Então mantenha-se disponível — arrematou Jess, que tinha uma série de restrições a Caulfield, pois ele fugira dos estudos e das responsabilidades, atributos comuns aos irmãos dele. Além de ser famoso por correr riscos e aceitar qualquer aposta ou desafio. Quanto mais o conhecia, mais Jess o julgava incoerente e despreparado para a vida real. Ela ouvira que o pai rico o havia presenteado com um belo barco e uma plantação de cana-de-açúcar, mas...

No íntimo, Jess torcia para que seu quase marido, em um gesto de consideração, um dia apresentasse alguém apropriado à sua irmã. Pensou no lorde Regmont, solteirão de meia-idade, amigo de Benedict, porém previu uma espera de dois anos até que Hester ganhasse uma aparência mais marcante e se destacasse socialmente por conta própria. O tempo de expectativa não seria tão penoso para uma adolescente.

— Gostaria de viajar pelo mundo todo — confessou Hester. — Você não?

De maneira alguma, Jess gostaria de contrapor. Ela poderia viajar, eventualmente, depois de casada, mas seu destino era indefinido. Nesse ponto, levava desvantagem em relação a mulheres de berço comum: era filha do marquês de Hadley e futura viscondessa de Tarley. Talvez por causa disso nunca tivesse oportunidade de conhecer os lugares distantes com os quais sonhava. Todavia, seria injusto dividir a perspectiva de tal frustração com a irmã mais nova. Em vez disso, beijou-a na testa.

— Tomara que consiga um marido disposto a apoiar seus devaneios. Você merece — afirmou Jess antes de soltar seu cãozinho de estimação da correia que o prendia à cadeira e apanhar sua bolsa. Depois completou: — Mantenha os olhos em lorde Regmont durante o jantar. Ele é charmoso, simpático e... solteiro. Muito amigo de Benedict, negocia com pedras preciosas. Acaba de voltar do exterior, e você será um dos primeiros diamantes que ele encontrará por aqui.

Bem, faltaria lapidá-lo, pensou Jess.

— Não seria melhor esperarmos mais um pouco? — Hester surpreendeu Jess com o comentário. Sua irmã não crescia somente em tamanho, mas em maturidade emocional.

— Você vale a espera por uma apresentação formal. Qualquer homem de bom-senso entenderia isso.

Jess, então, se afastou, a fim de aguardar dentro da casa o noivo distraído e atrasado. — Tarley anda muito tenso — notou Michael Sinclair, tirando a poeira da roupa e calculando a distância a que ainda se encontrava o irmão. Este saíra na frente, em busca da noiva, mas fora ultrapassado pelos mais jovens após passar-lhes uma reprimenda.

— Esperava que fosse diferente? — Alistair Caulfield agachou-se e tirou dos sapatos alguns vestígios de grama. — As pernas dele vão tremer, amanhã, diante da beleza da noiva. Mas Jess é fria como gelo.

Michael estranhou.

— Como assim?

Alistair era experiente com mulheres bonitas. De onde estava, observou Jessica Sheffield cruzar a frente da mansão, o pequeno cachorro nos braços. Sua figura esguia estava coberta do pescoço aos tornozelos por um vestido floral de musselina, que se colava às curvas do corpo por ação do vento: ombros, busto, quadris, coxas, tudo era bem proporcionado, atraente. Do rosto com chapéu, pouco visível, o rapaz conhecia as feições de cor. E admirava tamanha beleza, como tantos outros homens.

Os cabelos castanho-claros de Jess eram um capricho da natureza, com os fios mais longos e finos do que em qualquer outra moça. As tranças, um tanto descoradas, exibiam um tom de louro escuro que acrescentavam riqueza ao conjunto. Antes de ser apresentada oficialmente à família do visconde, Jess costumava manter os cabelos soltos, mas agora os trazia presos em um coque elegante. Para alguém tão jovem, seus modos eram de uma pessoa mais madura.

— Aquele cabelo claro, a pele sedosa… — murmurou Alistair. — Além dos olhos cinzentos, dos lábios cheios...

— Sim?

Alistair percebeu o tom jocoso na voz do amigo, então adotou o tom mais sério de que foi capaz.

— As tonalidades do corpo dela combinam perfeitamente com o temperamento — ele concluiu vivamente. — É uma princesa de gelo. Fria como mármore. Seria bom que seu irmão a engravidasse logo, ou pode correr o risco de ter o órgão genital... congelado!

— Como sabe de tudo isso? — indagou Michael, ansioso, depois de dar uma risada.

— Pelos modos, pelo olhar. Não pense bobagens. Nunca a toquei.

— Ainda bem, pois poderia me ofender. Amanhã mesmo, lady Jessica se tornará minha cunhada.

Meneando a cabeça, Alistair ganhou tempo deslizando os dedos pelos cabelos muito negros. Parecia perdido na admiração da jovem que era tão perfeita física e socialmente, como se esperasse por um estalo de rompimento na figura de porcelana. Imaginou como ela suportava as pressões sociais, as mesmas pressões que o haviam tornado intolerante e rebelde.

— Desculpe-me — falou ele a fim de desanuviar o ambiente.

Michael o estudou. — Não teve mesmo nada com ela?

— Acredite. Até sofri uma decepção, quando não me devolveu um cumprimento há poucos dias, no salão de jantar. Agiu de maneira oposta à da irmã, Hester, que é bastante educada e charmosa.

— Sim, a menina é um deleite. — O tom empolgado de Michael rivalizou com o de Alistair quando este falara de Jess. Ele prosseguiu: — Talvez Jessica não o tenha ouvido.

— Mas eu estava bem ao lado dela! — reagiu Alistair.

— Do lado esquerdo? Ela é surda desse ouvido.

Alistair mostrou-se assombrado ao descobrir um defeito na perfeição de Jess. Tanto que demorou um pouco para absorver a informação e, de certo modo, ficou aliviado. O problema de audição fazia dela uma pessoa mais mortal, menos deusa.

— Na maioria das vezes, as pessoas nem notam. Só quando o barulho é alto, o detalhe se torna um incômodo.

— Agora entendo por que Tarley a escolheu. Uma esposa que escuta pouco pode ser uma bênção.

Michael resmungou e partiu rumo a casa.

— Ela é reservada, como uma futura condessa de Pennington deve ser.

Tarley julga que Jess guarda mistérios profundos.

— Humm...

— Talvez você duvide, mas sua experiência com mulheres não se iguala à de Tarley. Ele tem dez anos a mais. — Michael passou um braço pelos ombros do amigo. — Admita que o visconde possui condições para perceber qualidades ocultas na própria noiva.

— Não gosto de admitir nada.

— Eu sei, meu caro. No entanto, aceite que você foi derrotado na nossa luta interrompida. Por questão de minutos, não perdeu feio.

Alistair procurou uma resposta à altura.

— Estávamos empatados quando Tarley interveio, e poderíamos ter tirado a prova com uma boa corrida. — E antes de pronunciar a última palavra, ele ensaiou correr para dentro da casa. Sentia urgência em ver Jessica.

No prazo de poucas horas, ela estaria casada.

Ao cair da noite, Jess pegou um xale de lã e levou a cadelinha, chamada Temperance, para passear no bosque que rodeava a mansão. A trilha de cascalho era familiar a ambas, mas o animal parou junto a uma árvore, cheirou o tronco, ergueu o rabo e latiu forte, olhando ansiosa para a dona e depois para o caminho em frente.

— Por que você está tão agitada? — indagou Jess. Sua respiração formava um pouco de fumaça em contato com o ar frio, e ela teve saudade de seu quarto quente. — Está bem, Temperance. Vamos caminhar mais um pouco.

Precavida, pegou a cachorrinha no colo e prosseguiu, agora por local desconhecido. Gostaria de voltar ali durante o dia, a fim de explorar a paisagem. Ao contrário de tantas propriedades luxuosas da região, que tinham as áreas livres invadidas por obeliscos, estátuas e pequenas capelas, Pennington as conservava em estado natural, exceto por um coreto de média altura. De repente, um esquilo cruzou a trilha, saltando. Afoito, mas sem latir, Temperance pulou dos braços da dona e correu atrás do roedor, a fim de cercá-lo. Jess sabia que, fracassando na sua intenção, a cachorrinha voltaria logo até ela. Assim, sorriu e retomou a caminhada, feliz por estar aparentemente longe da civilização. Um pouco mais à frente, deparou-se com uma imagem inusitada. No chão do coreto, um homem e uma mulher viviam uma cena de amor carnal. Seminus, tinham improvisado um leito de folhas e se abraçavam com força, em pleno ato.

— Depressa, Lucius — falou a mulher entredentes. — Ou Trent notará minha ausência.

Ah, sim, era Wilhelmina, lady Trent. Protegida por um arbusto, Jess manteve-se imóvel, excitada, ousadamente acompanhando tudo a distância. Mal respirava. Vez ou outra, na hora do banho, tocava-se nas partes íntimas, usufruindo um suave prazer. Mas o atrito compassado de um órgão masculino devia proporcionar à parceira um desfrute total e muito superior de sensualidade.

Enquanto a possuía, o homem a beijava na boca e deslizava as mãos pelas pernas femininas. A certa altura, um movimento revelou-lhe o rosto. Tratava-se de Alistair Caulfield, que também tinha Lucius no prenome, colhido em flagrante delito com a condessa de Trent. Seria possível que ele tivesse um romance com a madura senhora, anos mais velha, a ponto de ela chamá-lo por um nome pouco utilizado pelos outros?

— Você vale — aduziu a condessa — cada centavo que lhe pago por isto.

Deus do céu! Não era uma questão de afeto e intimidade, mas uma transação comercial, um arranjo no qual o macho prestava serviços sexuais à fêmea. Situação deprimente. Jess moveu-se, planejando sair dali o quanto antes. Mas Alistair se pôs de pé de repente, talvez para mudar de posição, sob protestos da amante.

— Lucius... Não pare agora! Quero senti-lo inteiro.

Jess escondeu-se o melhor que pôde atrás do arbusto, mas Caulfield, por estar em um nível mais alto, entre duas colunas da construção circular, não só a avistou como cravou nela um par de olhos brilhantes. Reconheceu-a sob o fraco luar entrecoberto por nuvens. Como ela havia chegado ali, se o par tinha tomado o máximo cuidado para despistar possíveis testemunhas?

— Lucius! Volte aqui e me satisfaça! — a outra exigiu.

Jess envolveu o próprio pescoço com a mão. Apesar do frio, o suor lhe brotava da testa. Como fazer para fugir dali? Olhou de novo e viu que Alistair fazia menção de obedecer à condessa. Antes, porém, mostrou-se a Jess com o falo ereto. Exibiu-se como um artista em busca de aplauso, e até o merecia, pelas proporções e pelo formato harmonioso do membro. Ela não sentiu nenhum horror por estar testemunhando tudo aquilo, pois Caulfield simplesmente a fascinava com sua formosura física. Jess o estudou, cativada e cheia de excitação sexual. Experimentou ainda uma mistura de inveja pela liberdade dele e repulsa pela facilidade com que costumava desrespeitar as convenções sociais.

Alistair expôs o corpo até a amante lhe fazer uma carícia com a boca e puxá-lo para baixo. Wilhelmina o recebeu de novo dentro de si, desta vez para alcançar o auge e emitir sons mais intensos. Jess, porém, parecia presa ao solo, mesmo porque o amigo de seu futuro cunhado, enquanto satisfazia a amante, não tirava os olhos dela. Afagando a cachorrinha que tinha voltado a seu colo, Jess permaneceu imóvel. Só conseguiu dar um pequeno passo para o lado. Caulfield de fato possuía um físico hipnotizante. Talvez quisesse mostrar-lhe como se fazia sexo, algo que Jess aparentava ignorar totalmente. Na verdade, sua madrasta lhe contara todo ou quase todo o processo. *Não seja servil nem tenha medo. Tente relaxar quando for penetrada, assim o desconforto diminuirá. Mas não grite nem faça som de qualquer espécie. Nunca reclame.*

No entanto, a madrasta se equivocara em sua aula. Jess se lembrava bem dos olhares lânguidos de outras mulheres quando exerciam a arte da sedução. Os gritos de prazer de lady Trent tinham ecoado dentro dela, deixando-a mais sensível na intimidade de seu ser. Resposta instintiva também ao olhar de Caulfield, que a devassava até o fundo dos músculos e lhe causava tremor. Reunindo forças para reagir, ela saiu correndo dali, carregando Temperance, e rapidamente chegou à frente da casa.

Ouviu alguém gritar seu nome. Seria Alistair, que a seguira a fim de solicitar discrição? Ou pior, seu pai?

— Lady Jessica! Procurei-a por toda parte. — Era seu noivo, Benedict, que se aproximava gentilmente, mas o alívio cedeu lugar à cautela. Se ele a tivesse visto chegar pela trilha, poderia investigar de onde estava vindo.

— Alguém se perdeu? — indagou ela com cuidado enquanto o visconde se aproximava.

— Você desapareceu. Trinta minutos atrás, sua criada disse que você tinha saído para passear com Temperance, mas ficou ausente por mais de uma hora!

Ela baixou o olhar.

— Desculpe-me se lhe causei preocupação.

— Dispenso as desculpas — ele respondeu em tom conciliador. — Simplesmente queria falar com você antes do casamento, para acalmar os nervos. Os seus e os meus.

— Milorde...

— Apenas Benedict — corrigiu ele, colhendo entre as suas a mão livre de Jess. — Você está gelada até os ossos. Onde esteve?

O interesse humano dele era inegável, reação bem diferente da que teria seu pai. Jess quase respondeu sem pensar, porém encobriu sua aventura no bosque e revelou que tivera de procurar Temperance, sumida em meio às trilhas depois de correr atrás de um esquilo. Apontou o animal, preso pela coleira, e examinou com novos olhos a figura do noivo, mais confortável com a ideia de dividir a vida com ele. Antes, considerava isso uma obrigação, que aceitara sem pensar muito em si mesma. Apesar disso, não tirava da mente a excitação que Caulfield lhe provocara, a maneira como a utilizara para cultivar o próprio orgulho machista.

— Eu teria caminhado com você, se me pedisse — completou Benedict. — No futuro, gostaria que isso acontecesse.

Animada pela atenção calorosa que o noivo lhe dedicava, Jess decidiu complementar o relato. Falou da dupla que praticava amor no coreto do bosque, mas em ritmo trêmulo, devido à falta de vocabulário e de autoconfiança. Omitiu, porém, a identidade dos envolvidos e a questão do fornecimento de dinheiro por parte da condessa a Caulfield. Quanto terminou, Benedict clareou a garganta e disse, imóvel diante dela:

— Maldição! Lamento que tenha passado por uma experiência tão desagradável na véspera do nosso casamento.

— Bem, os envolvidos não pareciam sentir nada de desagradável.

Ele pôs-se ruborizado.

— Jessica...

— Você falou sobre acalmar meus nervos... — ela prosseguiu, insinuando algo que lhe desafiava a coragem. — Quis ser honesta com você, mas temo ter ultrapassado os limites da sua bondade.

— Eu lhe comunico se isso acontecer.

— De que maneira? — Jess viu Benedict franzir a testa. Seria por palavras? Pelo silêncio? Ou por uma iniciativa mais audaciosa, coerente com a ansiedade sensual que experimentava?

— Certamente, eu nunca duvidaria da sua honestidade — explicou ele.

— Nem devo me precipitar antes da cerimônia matrimonial. Mas você é muito atraente; é uma espécie de prêmio para mim. Estou ansioso pelo momento de... — O visconde de Tarley pareceu envergonhar-se por tal confissão, mas o fato era que a história do coreto o havia transtornado a ponto de prejudicar-lhe o autocontrole. Jess, por sua vez, não se achava menos disposta...

— Milorde, saiba que não faço restrições ao lado físico da nossa união. Penso que será prazeroso para nós dois. — Tal manifestação era contrária à índole de Jess, que jamais seria capaz de agir como lady Trent. Todavia, invadida pela força dos instintos, decidiu assumir aquele momento de ousadia. — Leve-me agora mesmo ao seu chalé particular. Confio em você, mas estou um pouco fora de mim.

Ele soltou o ar, mantendo a seriedade em suas feições. Sua pressão no pulso de Jess tornou-se quase dolorosa.

— Por quê?

— Irritei você. — Ela recuou alguns passos. — Perdoe-me por ter lhe contado o que vi no bosque e pelo que acabei de falar. Por favor, não duvide da minha inocência. Permaneço virgem.

Benedict a puxou contra o peito, trazendo-a novamente para perto.

— Observe bem o meu rosto, Jessica.

Ela obedeceu e ficou um tanto atordoada pelo olhar do noivo. Ele não lhe pareceu desconfortável nem preocupado com a situação. — Estamos a algumas horas do nosso casamento e do nosso leito nupcial — Benedict a relembrou, a voz rouca como nunca. — Recebi seu testemunho dos eventos no bosque com reações que talvez não possa entender. Não me irritou. Ao contrário, despertou em mim uma bem-vinda... tensão. Isso porque sua resposta à cena foi de fascínio e não de repulsa, como sucederia com muitas mulheres. Mas você será minha esposa e merece todo o respeito.

— Então você deixaria de me respeitar caso nos deitássemos juntos em seu chalé?

Pela duração de um simples batimento cardíaco, ele mostrou-se desnorteado. Em seguida, inclinou a cabeça para trás e riu à vontade. A sonoridade rica se espalhou pelo jardim. Jess espantou-se com um detalhe, porém: como a alegria repentina transformava Benedict, tornando-o mais acessível e, de certo modo, mais bonito. Por isso, deixou-se apertar contra a virilha dele, onde acusou a presença de uma sólida ereção.

— Pelo que entendi — sussurrou ela, presa ao calor másculo do noivo —, o dever nos levaria à cama, enquanto o prazer existiria do lado de fora, com eventuais amantes. Por acaso eu revelo um defeito de caráter se confessar que prefiro ser satisfeita como uma amante em vez de como uma esposa?

— Você não tem defeitos. É a mulher que sempre sonhei para mim. — Ainda sorridente, Benedict acrescentou: — Sempre quis fazer amor com você, mas não estava em minha natureza pressioná-la. — Ele suspirou com evidente contentamento. — Você é um tesouro, querida. Chegará ao altar sem nenhuma dúvida ou reserva quanto à minha pessoa.

Avançando as mãos, Jess acarinhou os cabelos lisos do noivo. Benedict a beijou longamente nos lábios, depois na testa. Em sinal de consentimento, ele levou a mão ao nó da gravata, como se começasse a despir-se.

— Sim, vamos ao chalé. Você é a mulher mais perfeita que conheço.

Longe da perfeição, pensou Jess. Por vezes, ela experimentava uma voluptuosa umidade entre as coxas. Aprendera a disfarçar suas crises de necessidade erótica. Como Caulfield havia reconhecido um aspecto de seu caráter que ela própria se esforçava por ignorar? Na impossibilidade de possuí-la no coreto, naquele lugar e naquele instante, o jovem abusado tinha se exibido, orgulhoso do membro inflado, e impingira a ela uma imagem que não lhe sairia tão cedo da lembrança. Por sorte, desinformado dessa cena, Benedict não a julgara vulgar, agressiva ou indesejável. Era de fato digno de confiança. Jess não precisava temer um julgamento negativo de sua conduta. A aceitação de sua incrível proposta pelo noivo lhe transmitia ainda mais coragem.

Jess amarrou a cadelinha a uma cerca e, livre, agarrou-se de novo ao visconde, colando o baixo-ventre na virilha dele. Em vez de pronunciar palavras de alívio e gratidão, ofereceu-lhe os lábios provocantes, que Benedict sugou com força. Quando ele se apossou da boca inteira, com golpes rápidos de língua, os joelhos dela fraquejaram. Benedict a apertou ainda mais contra si, para que percebesse a intensidade de sua ereção. Talvez fosse um amante tão bom quanto Caulfield, e ela, menos assexuada do que o explorador de senhoras carentes dera a entender. Os dedos masculinos não cessavam de afagar-lhe a pele, revelando agitação. Ele ofegava quando afastou a cabeça.

— Tão inocente e tão sedutora — murmurou ao erguer Jess nos braços, conduzindo-a até o chalé em busca de uma cama. Afinal, só estariam antecipando em algumas horas a noite de núpcias.

1.

Sete anos depois...

— PEÇO-LHE PARA RECONSIDERAR.

Lady Jessica Tarley inclinou-se sobre a mesa de chá na sala da família Regmont e apertou ternamente a mão da irmã.

— Sinto que devo ir.

— Por quê? — Os cantos da boca de Hester estavam caídos, em sinal de contrariedade. — Entenderia sua teimosia se Tarley fosse com você, mas agora que ele faleceu... Acha seguro viajar sozinha por tão longa distância?

Era uma pergunta que Jess havia se formulado diversas vezes, contudo, a resposta seguia sendo indiscutível. Estava determinada a partir, desfrutando de algum tempo livre no qual poderia fazer algo extraordinário. Dificilmente teria outra oportunidade igual.

— É claro que sim. O irmão de Tarley, Michael, cuidou de todos os arranjos, e serei esperada no cais do porto por alguém conhecido. Tudo sairá bem.

— Não tenho tanta certeza. — Com a xícara de chá na mão, Hester parecia pensativa e infeliz.

— Você também ansiava por conhecer lugares distantes — lembrou-a Jess. — Perdeu a vontade?

Pelo vão das cortinas era possível ver o intenso tráfego de carruagens pelo bairro de Mayfair, mas Jess só tinha olhos para a irmã mais nova. Hester havia amadurecido entre elogios à sua graciosidade e aos seus assombrosos olhos verdes. Por algum tempo, tivera mais curvas e fascínio feminino do que Jess, porém, os anos temperaram ambos esses traços, forjando uma mulher elegante e notavelmente reservada. Com as bênçãos do pai e da irmã, desposara o rico lorde Regmont, agora dono do título de conde.

— Você está pálida — observou Jess. — Não se sente bem?

— Sofro por sua perda e pela preocupação com a viagem — retrucou Hester, agora condessa de Regmont. — Simplesmente não compreendo seus motivos.

Completavam-se alguns meses desde que Benedict se fora deste mundo, vítima de uma moléstia incurável. Tempo bastante para Jess resignar-se e aceitar uma vida sem ele, mas o luto ainda a paralisava. Parentes e amigos a pressionavam a mudar-se para o campo, mas ela resistia à ideia, alegando que precisava tomar mais distância do passado a fim de planejar o futuro.

— Mais um Natal se aproxima e estamos todos debaixo dessa nuvem que me envolve. O que vai resolver minha vida é quebrar totalmente a rotina com uma temporada fora do país.

— Céus, Jess! — Hester suspirou fundo. — Não pense, como fez Tarley, em retirar-se da própria casa para não nos aborrecer. Você ainda é jovem, pode encontrar alguém com quem casar-se de novo. Sua vida está longe de terminar.

— Concordo, não se preocupem tanto comigo — insistiu Jess. — Se cuidar pessoalmente da venda da plantação de cana-de-açúcar no exterior, como Tarley pediu, retornarei mais calma e revigorada.

— Ainda não acredito que ele tenha sugerido isso. No que estava pensando?

Jessica sorriu, constatando que Hester tinha redecorado a casa dos Regmont logo após o casamento, introduzindo seu estilo colorido e otimista de ser. — Ele queria que eu fosse autossuficiente, mas também foi um gesto sentimental. Ele sabia como eu ansiava por conhecer Calypso.

— E o sentimentalismo vai levá-la ao outro lado do mundo... — ironizou Hester.

— Como disse, devo ir, preciso ir. Será uma despedida do passado.

Resmungando, Hester enfim capitulou.

— Promete escrever sempre e voltar tão logo seja possível?

Jess prometeu, mas sugeriu que a irmã a visitasse caso demorasse muito a regressar. Regmont nunca permitiria isso, porém a jovem concordou, a fim de encurtar a discussão, e saiu-se com uma frase lapidar:

— Não precisa me trazer presentes exóticos. Basta trazer você mesma de volta.

Alistair Caulfield estava de costas para a porta de sua agência de despachos marítimos quando ela se abriu repentinamente. Uma rajada de vento soprou, tirando-lhe da mão um documento que ia arquivar. Olhou para trás e reconheceu o tempestuoso visitante.

— Michael!

O novo lorde Tarley, parecendo igualmente surpreso, curvou a boca em um meio sorriso. — Alistair, seu malandro! Não me avisou que estava na cidade.

— Acabei de retornar. — Dizendo isso, recolheu o papel e colocou-o na pasta apropriada. — Como vai, milorde?

Michael tirou o chapéu e ajeitou os cabelos castanhos com os dedos. Aparentemente, o título de nobreza lhe pesava nos ombros, a ponto de vergá-lo um pouco para a frente. Costumava usar roupas sóbrias e flexionar a mão esquerda, na qual usava um anel com o sinete de seu título de nobreza.

— Tão bem quanto permitem as circunstâncias — respondeu depois de ponderar um pouco.

— Minhas condolências a você e à sua família. Recebeu minha carta?

— Sim, obrigado. Não consegui responder, pois o tempo tem passado depressa. Haja fôlego!

— Compreendo.

Michael meneou a cabeça.

— Estou feliz por vê-lo de novo, amigo. Ficou muitos meses fora.

— Vida de comerciante… — explicou o outro, sem admitir que permanecer na Inglaterra significava cruzar caminhos com o pai e com Jessica. Nos raros encontros sociais, ela visivelmente o evitava. Alistair pensara em cortejar a esfuziante irmã de Jess, mas Hester fora apresentada a lorde Regmont e isso resultara em um rápido noivado. Assim, dera sequência a uma vida devassa, até que, por pressão do pai, se empenhara enfim em uma atividade honesta. Quanto a Jess, ele concordava com os comentários de alguns solteirões. O casamento lhe fizera bem; ao menos, permitira o desabrochar de uma imprevista sensualidade no olhar e na maneira de ser. Cobiçava-a com volúpia, uma vez que ainda levava na memória a cena de sete anos antes. A voz de Michael o despertou da fantasia.

— Vim lhe pedir para recomendar minha cunhada ao comandante do navio para a Jamaica, que deve ser amigo seu.

Ao longo dos anos, Alistair aprendera bem a se mostrar impassível mesmo quando tenso.

— Lady Tarley pretende viajar até Calypso? Sozinha?

— Com uma criada particular, ainda hoje à tarde. Infelizmente, no momento não posso acompanhá-la. E ela não aceitou adiar a viagem. Herdou uma fazenda na Jamaica e quer desfazer-se dela pessoalmente. Com Tarley, desenvolveu certa aptidão para os negócios.

— Nunca se pode dizer não a Jess — emendou Alistair, dirigindo-se à janela para ver o movimento no porto.

Diversos navios estavam atracados. Portuários robustos cuidavam da carga e descarga de caixotes grandes, alguns importados, outros para exportação. Contavam com guindastes, mas suavam muito, mesmo sob o vento refrescante. Uma cerca de ferro isolava embarcações destinadas a viagens transoceânicas.

— Hester... perdão, *lady Regmont*... também não podia se ausentar de Londres — prosseguiu Michael, tropeçando nas palavras. Alistair sempre suspeitara de que o amigo tinha uma queda especial pela irmã de Jess, porém havia tardado demais em declarar-se. — Desde que perdeu o marido, Jess busca um novo objetivo na vida, daí ter insistido em viajar.

Cuidadosamente neutra foi a resposta de Alistair:

— Como sabe, conheço bem o lugar de destino dela. Posso assisti-la fazendo as apresentações necessárias e dando informações que ela levaria meses para descobrir.

— Oferta generosa — Michael retrucou. — Mas você acaba de retornar. Não devo esperar que embarque de volta tão cedo.

Girando o corpo, Alistair afirmou de maneira pausada:

— Sabe que possuo uma plantação de cana-de-açúcar nos limites de Calypso, mas não lhe contei que desejo expandi-la. Se o preço estiver dentro do meu alcance, talvez compre a propriedade de Jessica. Pagando tudo pontualmente, claro.

Melhor do que a encomenda, pensou Michael aliviado.

— Falarei com ela imediatamente.

— Deixe isso comigo. Tenho todo o tempo do mundo. E se, como você disse, ela precisa de um objetivo, deve querer manter controle sobre a negociação, apresentando os próprios termos. Enfim, cuide-se bem e confie Jess a mim.

— Você sempre foi um bom amigo — disse Michael, sem imaginar que algo de temerário pudesse ocorrer. — Torço para que volte em breve e se estabeleça por algum tempo. Posso utilizar seu tino para os negócios. Enquanto isso, faça com que Jessica escreva com regularidade à família e que retorne logo. Antes do Natal, de preferência, quando todos estarão na nossa casa de campo.

— Farei o melhor possível — garantiu o outro. Alistair não mentia, mas também não havia exposto todas as suas secretas intenções. Ele esperou Michael partir e, à mesa de trabalho, fez uma lista de providências necessárias à viagem. Conseguiu transferir todos os passageiros para outras linhas, cobrindo a diferença na tarifa.

Ele, Jessica e a criada dela seriam os únicos não tripulantes a bordo do *Acheron*. Mais ainda: ficariam próximos um do outro por semanas. Era uma oportunidade extraordinária, e que Alistair estava determinado a não desperdiçar.

De dentro da confortável carruagem da família, Jess estudou o navio que a aguardava atracado no cais. Era imponente com seus três mastros, e ela no íntimo agradeceu a Michael pelo esforço demonstrado nos preparativos, sacrificando os próprios interesses quando ele também estava afetado por conta do passamento precoce de Tarley. A agitação das docas lhe fazia bem, exceto pela apreensão que lhe acelerava os batimentos cardíacos. Na alta sociedade da Jamaica, uma nação insular no mar do Caribe colonizada por ingleses, Jess não depararia com preconceitos e noções erradas sobre seu comportamento. Teria paz, após meses de uma intensa sensação de sufocamento.

Jess notou que três estivadores se aproximavam: eles vinham apanhar sua bagagem e levá-la à passarela de embarque. Não tinha mais motivos para demorar-se na carruagem. Assim, ao lado da criada, alcançou as docas, e, subindo à embarcação, sentiu-se um pouco nervosa com as ondas agitadas debaixo dela. Parou por um momento, segurando-se no corrimão de corda, a fim de absorver a sensação.

— Lady Tarley.

Jess ergueu a cabeça e viu um distinto cavalheiro aproximar-se. Antes que ele falasse mais alguma coisa, suas feições e seu uniforme branco lhe denunciaram a função: era o comandante do navio.

— Capitão Smith — apresentou-se o homem, aceitando a mão que ela lhe ofereceu junto com uma ligeira reverência. — É uma honra tê-la a bordo, milady.

— O prazer é meu — respondeu ela, sisuda. Jess atentou para a barba branca mas bem aparada do oficial. — O senhor comanda um navio grande, capitão.

— Verdade — ele concordou e tocou de leve na aba do quepe. — Ficaria honrado se me acompanhasse durante os horários do jantar.

— Gostaria muito, obrigada.

— Excelente. — Dizendo isso, gesticulou para um marinheiro que o seguia. — Miller lhe mostrará sua cabine e cuidará da sua bagagem.

Sorrindo, ela notou que Smith estava ansioso por zarpar, já que não havia mais ninguém por perto pronto a subir à embarcação. Assim, agradeceu novamente quando o capitão fez menção de se retirar e dirigiu toda sua atenção a Miller, que aparentava não ter mais de dezoito anos.

— Milady... — Ele escancarou a porta do corredor para a passageira e sua criada. — Por aqui.

Jess ganhou o interior do navio, não sem antes admirar a coragem dos homens que escalavam o cordame dos mastros. Descendo as escadas, redirecionou sua admiração para o impressionante interior da embarcação. As paredes eram revestidas; os metais dos corrimãos e das portas, admiravelmente polidos. Assim entretida, não estranhou a falta de movimento ou de ruído nas cabines. Miller bateu a uma porta e lhe franqueou a entrada no quarto de sua criada, Beth: pequeno, de cama estreita, mas bem arrumado. Em seguida, Jess foi conduzida ao próprio aposento, ligado ao de Beth por uma passagem interna. Ela reconheceu as malas, colocadas ao lado de uma mesa sobre a qual repousava um balde de gelo que abrigava seu vinho clarete preferido. Lugar modesto no tamanho, completado por uma janela retangular, mas confortável. Ela sentiu-se bem diante da perspectiva de muitos dias de viagem. Não teria de responder a perguntas tolas nem conversar com passageiros que julgasse desinteressantes.

Jess retirou a fivela que prendia o chapéu, entregando ambos a Beth, que a seguira, prestativa. Miller retirou-se, prometendo voltar ao cair da noite a fim de indicar-lhe o caminho do restaurante.

— É uma grande aventura, milady — comentou a criada após fechar a porta. — Senti falta da Jamaica desde que saí do país.

— Deixando talvez um jovem namorado... — atalhou Jess.

— Sim, isso também. — Beth havia dado um providencial apoio à patroa quando toda a família desaprovara seus planos.

Pouco antes das seis horas, ouviu-se uma batida na porta. Jess depositou na mesa o livro que estava lendo e foi pessoalmente abri-la. Era Miller, sempre sorridente, pronto para levá-la ao salão de jantar. Conforme se aproximavam, tornava-se mais alto o som de um violino — aliás, muito bem tocado. Miller afastou-se, pois ainda tinha de conduzir Beth ao refeitório dos tripulantes e criados. Fascinada pela música, Jess acelerou o passo e viu o capitão Smith levantar-se da mesa, seguido por dois outros cavalheiros, que lhe foram apresentados como o imediato e o médico de bordo. Depois disso, ela examinou o violinista, que estava de costas, sem paletó e vestindo calças justas, mostrando nádegas redondas e firmes. Ela notou essa parte da anatomia masculina, que lhe pareceu um tanto familiar, mas logo sentou-se a fim de apreciar a refeição.

Furtivamente, Jess lançava olhares ao músico, até que este encerrou o número, guardou o violino e voltou-se para os comensais. Era de fato Alistair Lucius Caulfield, que, ao se aproximar da mesa, vestiu seu paletó, que estava pendurado no encosto de uma cadeira. Jess arrepiou-se ainda mais quando o capitão o apresentou:

— Este é o senhor Alistair Caulfield, proprietário do navio e brilhante violinista, como pôde perceber.

Jess temeu que parasse de respirar. Diante do salão deserto e das cabines desocupadas, suas suspeitas se confirmaram: o canalha bonito tinha cometido a loucura de esvaziar o barco para poder ficar a sós com ela. O resultado disso era a perda de sua tão sonhada e desejada tranquilidade...

2.

POR QUE O DESTINO LHE HAVIA RESERVADO TAL armadilha? Por educação, tocou a mão que Alistair estendia em cumprimento. Talvez, naqueles anos de distanciamento, ele já tivesse mudado de conduta, mas, como sempre, ostentava boa aparência e uma virilidade contida. Já não era tão bonito, Jess concluiu: o rosto estava mais envelhecido; nuvens de preocupação toldavam-lhe os olhos outrora hipnotizantes; e os cabelos negros pareciam mais ralos. No entanto, traída pela memória, Jess poderia descrever cada segundo da cena no coreto que tinha presenciado sete anos antes. Ainda que mais maduro e mundano, Alistair ainda era um homem formidável e inegavelmente másculo. Percebeu-se ruborizada. O que dizer? Como agir?

— Lady Tarley — ele começou por fim —, é um grande prazer revê-la. — E, dizendo isso, voltou-se para os outros: — Já nos conhecemos de longa data.

Também a voz era mais baixa e aguda do que ela se lembrava. Quase um sussurro. Mas ele mantinha uma graciosidade felina, e o foco intenso em

Jess tendia a varar-lhe a alma e atingir-lhe em cheio o coração. Ou a intimidade física dela. A visão do membro masculino teimava em assomar-lhe à mente, exaltando seus sentidos.

Ela respirou fundo, a fim de recompor-se.

— Faz muito tempo que não nos falamos — conseguiu articular.

— Anos.

O olhar penetrante de Alistair não permitia que Jess se esquecesse daquela noite no bosque de Pennington. Sua viagem de recuperação poderia tornar-se uma tortura.

— Por favor, aceite meus pêsames por sua perda — ele prosseguiu. — Tarley era um homem bom. Eu o admirava e gostava dele.

— Aprecio seus sentimentos — retrucou Jess, sentindo a boca seca. — Digo-lhe o mesmo. Também lamentei o falecimento do seu irmão.

— Dois deles — acrescentou Alistair com um sorriso triste. Alistair retomou a mão de Jess e as pontas dos dedos dele apertaram-lhe o centro da palma. Jess retirou a mão bruscamente e esfregou o lugar tocado, como se quisesse apagar a vermelhidão ali deixada por ele.

— Podemos começar? — propôs o comandante e, sem aguardar resposta, ordenou que o garçom iniciasse o serviço.

Caulfield ocupou a cadeira diretamente à frente de Jess, o que a deixou retraída, pouco à vontade, mas ela se esqueceu de tudo quando o farto jantar chegou à mesa, regado a vinho. Então levou a conversa para o lado dos negócios agrícolas e marítimos, ao qual os cavalheiros aderiram, animados. Claro que não se interessariam tanto pela vida social da viscondessa de Tarley. Em geral, os homens não discutiam tais temas na presença dela. Assim, o que se seguiu foi uma fantástica hora de boa comida e conversação.

Ficou evidente que Caulfield festejava seu sucesso financeiro. Não o mencionou explicitamente, mas detalhou seus afazeres ao longo da conversa. Ele havia, por fim, se libertado do controle paterno e assumido responsabilidades dignas de um homem de trinta anos de idade. Como nada confidenciou a respeito de sua vida amorosa, Jess não pôde tirar nenhuma conclusão, favorável ou não. O único detalhe óbvio era que permanecia solteiro.

— Vai com frequência à Jamaica, comandante? — perguntou Jess ao carrancudo capitão Smith.

— Não tanto quanto os outros navios do sr. Caulfield — respondeu o marujo, cofiando a barba branca. — Londres é a nossa base. As demais docas estão em Liverpool e Bristol.

— Quantos barcos são ao todo?

O capitão olhou para Caulfield, indeciso.

— Cinco?

— Seis — afirmou o novo magnata, observando a reação de Jess.

Jess desviou o olhar com dificuldade. Não sabia explicar o motivo, mas era quase como se as intimidades que havia testemunhado no coreto do bosque tivessem ocorrido entre Caulfield e ela própria em vez de com outra mulher. Algo de estranho e profundo havia surgido no instante em que se avistaram em meio à escuridão. Um elo, uma conexão tinha se formado, pois Jess aprendera ali coisas que desconhecia e não existia modo de restabelecer sua então abençoada ingenuidade em matéria de sexo e prazer.

— Parabéns pelo sucesso — murmurou ela.

— Você também os merece. — Dizendo isso, ele colocou um braço sobre a mesa e passou a tamborilar os dedos na toalha, como havia feito no pilar do coreto enquanto se exibia a Jess.

— O que quer dizer? — perguntou ela após um gole revigorante de vinho.

— Meus barcos também transportam produtos de Calypso à Inglaterra. Cana-de-açúcar, por exemplo.

Sem surpresa, Jess prometeu que discutiria o assunto com ele outro dia.

— Quando tiver tempo — acrescentou ela. — Não há urgência.

— Tenho tempo agora — foi a resposta peremptória.

Os olhos de águia brilhavam. Por seus antecedentes, Alistair só pretendia assediá-la, talvez forçá-la a uma proximidade descabida naquele momento, quando Jess tinha a mente engajada em assuntos de negócios.

De qualquer modo, deveria precaver-se e não se aproximar de homens do tipo dele. No entanto, Alistair apressou-se em afastar a cadeira e tomar a jovem pelo braço, conduzindo-a para fora do recinto. Jess teve tempo de murmurar um agradecimento à acolhida do capitão, que manifestou a vontade de repetir os encontros para jantar.

Já no corredor, Jess sentiu a presença forte do acompanhante a seu lado. Ele transmitia calor e ansiedade por contato físico. E ela percebeu o desdobramento de seu nervosismo para as partes sensíveis do seu corpo. Tarley a havia doutrinado bem no que se referia ao domínio e ao desfrute dos instintos. Conseguira torná-la verdadeiramente feminina e, portanto, vulnerável.

— Vamos passear no convés? — propôs Alistair em tom baixo, perto do ouvido dela. O odor corporal de sândalo que exalava dele era delicioso. À guisa de consentimento, ela disse que precisaria apanhar um xale na cabine, então Caulfield a escoltou em silêncio até lá. Aguardou junto à porta, mostrando que não queria invadir-lhe a privacidade, sobretudo porque a criada estava ali.

— A senhora parece febril — comentou Beth. — Posso lhe preparar uma compressa?

— Nada disso. Apenas me dê o xale preto de seda. Vou sair de novo. E você pode se retirar para seus aposentos.

Ao colocar o xale nos ombros, Jess sentiu-se mais corada que o normal. Atribuiu o fato ao excesso de vinho durante o jantar, mas no fundo sabia que estava tentando se enganar. Tudo a seu redor, inclusive a viagem à Jamaica, aparentava fugir do controle. Ela imaginara deitar-se e descansar, sem conseguir adormecer devido à excitação, e só retomar a conversa com Caulfield no dia seguinte, à luz do dia. No mínimo, correria menos perigo.

Ele estava apoiado de forma displicente na parede revestida do corredor quando Jess o encontrou novamente. À luz baça, um sorriso aliciante demonstrava que ele aprovava a aparência dela, que ficou paralisada por um segundo pela certeza de que o debochado Lucius agiria sempre de acordo com o conquistador que era. A expressão dele lembrou-a do olhar insistente que ele lhe lançara durante a cena do coreto em Pennington. E teve agora um efeito similar, entorpecedor, sobre ela.

Caminhando à frente, com passos impetuosos, Alistair a guiou até o convés do navio. Ali, debruçada sobre a amurada, Jess ficou grata pelo ruído calmante das ondas e pela presença da lua no céu. O ambiente estava envolto em tons de cinza, que também a ajudaram a mitigar sua secreta ansiedade diante da permanente vibração de Alistair Caulfield.

— Quais seriam as chances — começou ela a dizer, rompendo o silêncio — de você e eu nos encontrarmos viajando no mesmo navio, ao mesmo tempo?

— Grandes, considerando-se que arranjei tudo — disse ele com suavidade. — Espero que esteja confortável com essa ideia.

— Como me incomodar? Este navio é magnífico.

— É bom ouvir isso. Na verdade, Michael me pediu para ajudá-la na viagem e na venda das terras em Calypso — disse ele, omitindo que havia se excedido bastante no cumprimento do pedido por motivos inconfessáveis. — Estou a seu dispor, principalmente depois de chegarmos ao nosso destino.

— Michael? — murmurou ela, custando a acreditar que o cunhado a tinha confiado a uma pessoa que, normalmente, a deixava insegura. — Não sabia disso. Acho que ele foi superprotetor.

— Perdoe-o. Ainda está transtornado, cheio de compromissos. Julguei que era meu dever socorrer um amigo. E uma amiga...

— Sim, é muita consideração da sua parte — disse Jess, caminhando até a base da torre de proa a fim de abafar a tensão que sentia. Ela não saberia dizer se Caulfield havia mudado, mas já destoava da imagem de pessoa agressiva e indomável que ela tinha guardado na memória.

— Meus motivos foram altruístas — qualificou ele, aproximando-se de Jess. As mãos atrás das costas, em sinal de paz, realçavam a força dos ombros e a amplidão do tórax. Ele sempre fora mais musculoso do que os Sinclair, mais até do que os próprios irmãos. Jess censurou-se por, sem querer, ficar admirando aquela estrutura, enquanto ele voltava a falar: — Passei muito tempo fora. Espero que, na volta, você me ajude na minha aclimatação à sociedade londrina, assim como vou ajudá-la em relação à jamaicana.

— Retornará para uma estadia mais longa?

— Sim. — O olhar firme dele mais uma vez tirou-lhe o fôlego. Jess cogitou de estender a conversa falando da alegria da família de Caulfield em tê-lo por perto, mas lembrou-se da perda recente dos irmãos dele, por isso optou por manter-se quieta.

Ele caminhou até o mastro principal e, com uma mão gentil no ombro de Jess, fez com que ela também parasse ali.

Sob um olhar agradecido, Alistair deu um desnecessário passo para junto dela, suficiente para saírem dançando, se fosse o caso. Mas ele apenas se expressou em um tom comovido:

— Agora não tenho mais motivo para ficar fora, mas uma boa e imprevista razão para permanecer na Inglaterra.

Jess avaliou se ele havia sido dispensado por alguma mulher e resolvera procurar nova amante em solo inglês. Foi um instante crítico: ou os dois se liberavam para uma troca de beijos e carícias, fadada a terminar na cama, ou adotavam uma conversa mais impessoal. Alistair se conteve primeiro e lady Tarley enveredou pela mesma trilha.

— Procurarei ser-lhe tão útil quanto você será para mim — declarou ela.

Sussurando um agradecimento, ele deu sequência à caminhada pelo convés.

— Quer discutir a exportação de produtos de Calypso para a Inglaterra?

— Preciso me inteirar da situação. Tenho obrigações para com lorde Tarley, que me pediu isso no leito de morte. Eu pretendia tratar do assunto com o administrador local. Por favor, não se importe muito comigo. É o que desejava dizer.

— Tenho as respostas que você procura. Fique à vontade para aproveitar-se de mim.

Jess encontrou o olhar dele intensamente focado nela.

— Mas você deve ser um homem ocupado. Não quero lhe impor nenhuma perda de tempo.

— Jamais será uma imposição. Terei imenso prazer em atendê-la em tudo que desejar.

— Está bem — redarguiu Jess, detectando certa malícia na fala de Alistair.

— Seu tom sugere desagrado — queixou-se ele, que gostaria de encorajar Jess a tornar-se mais extrovertida, como fizera tantos anos antes.

— Sou-lhe grata pela atenção, sr. Caulfield, mas o que fazer se fico preocupada com tanta gentileza? Não sou feita de vidro, arrisco-me a enfrentar meus problemas. Marquei essa viagem, em parte, por querer me distanciar dos que ainda me tratam como se fosse frágil.

— Mas eu desconheço como mimar uma mulher — defendeu-se ele secamente. — Se esse fosse o intuito, você fracassaria. Estive com seu administrador algumas vezes e acho que ele tem dificuldade em lidar com uma chefe do sexo feminino. Quero lhe apresentar os fatos, explicar-lhe todos os contratos em vigor, e então você tomará suas decisões. Enfim, não desejo poupá-la, mas expô-la.

Jess curvou os lábios de leve. Alistair, a seu modo, continuava sendo charmoso.

— Como já é tarde, vou acompanhá-la à cabine, se me permitir.

— Claro, obrigada. — Jess começou a perceber, com surpresa, que apreciava a companhia dele. Seu novo protetor não forçou a entrada no aposento particular. Desejou-lhe boa-noite, bons sonhos, e não esperou resposta para ganhar o corredor, de volta ao espaço provavelmente vazio que ocupava.

3.

MICHAEL SINCLAIR, O NOVO VISCONDE DE TARLEY, viu-se diante da mansão dos Regmont em um horário em que sabia da presença de Hester na casa, atendendo fornecedores. Ele apeou do cavalo e entregou as rédeas para um serviçal. Sua ansiedade era extrema. Resistiu a verificar o nó da gravata, azul como lady Regmont certa vez dissera ser a cor que lhe caía bem. Logo foi anunciado e entrou na sala de onde saía o último visitante comercial da tarde. Ela ocupava um sofá claro no centro do cômodo, parecendo tão bonita e frágil como sempre fora.

— Lorde Tarley — saudou-o Hester sem se levantar, mas estendendo as mãos.

Ele cruzou o tapete oriental e beijou sucessivamente o dorso das mãos dela.

— Milady, meu dia ficou mais brilhante somente por estar na sua presença.

Michael deplorava seu antigo individualismo, causador da perda daquela que considerava a mulher de sua vida. Havia tardado em declarar-se a Hester, confiante demais no seu proclamado charme, e nesse meio-tempo ela fora apresentada a lorde Regmont, o negociante de pedras preciosas. Os dois se deram tão bem que em poucos meses estavam noivos e, em mais alguns, casados. Remorso maior por achar, na juventude, que nada haveria de melhor do que os irmãos Sinclair desposarem as irmãs Sheffield e todos conviverem em harmonia. Mas não era o que pensava Hadley, o pai das duas, de olho na fortuna de algum ricaço mais maduro. A própria posição de Michael como segundo filho o desqualificava perante o temperamental marquês. Ele nunca teria uma chance com Hester.

— Pensei que tivesse me esquecido — disse ela. — Faz tempo que não dá notícias.

— Jamais conseguiria esquecê-la — declarou ele, convicto da existência de simpatia e atração entre ambos.

— Por favor... — pediu Hester, repreendendo-o com o olhar e indicando-lhe uma poltrona para sentar. — Conte-me tudo de sua vida desde que sumiu.

Ele se fixou nas encantadoras feições da amada. Seus cabelos estavam bem penteados, com cachos dourados a cair sobre parte da testa e sobre as orelhas. Ela usava um vestido rosado e, no colo, ostentava um belo medalhão preso por uma fita preta.

— Vim assegurar-lhe de que Jessica está em boas mãos. Alistair irá cuidar dela durante a viagem. Ele viveu na Jamaica por alguns anos e conhece tudo do lugar, inclusive as personalidades políticas e sociais.

— Caulfield? — Uma ruga surgiu na testa franzida de Hester. — Não tenho certeza de que Jess goste da companhia dele.

— Penso que o sentimento é mútuo. Nas vezes em que os vi juntos, os dois pareciam constrangidos. Mas agora são mais maduros e ela precisa dos conselhos de um especialista. Além disso, a propriedade de Caulfield faz divisa com a de Jess, aquela que ela pretende vender. Se tudo der certo, sua irmã voltará mais cedo para casa.

— Milorde, você é esperto. Aprecio muito esse seu traço.

Tais palavras causaram agonia no peito de Michael. Sua adoração por lady Regmont era somente uma parte do que desejava dela.

— Bem, não mereço todo o crédito. Caulfield praticamente caiu no meu colo e se dispôs a cooperar.

— Você é quem caiu do céu — disse ela, para em seguida desfazer o sorriso. — Tenho saudade da minha irmã, e ela está fora só há um dia.

Estava ansiosa pela viagem e não concordou em adiá-la. Quanto antes retornar, melhor.

— Por isso vim até aqui. Sei como a ausência de Jessica afeta você... Coloco-me à sua disposição para o que quer que seja.

— Sempre gentil comigo... — disse Hester, erguendo-se para tocar levemente o ombro de Michael com ar de melancolia. — E o seu trabalho, seus compromissos? Posso me tornar uma nova carga para você.

— Isso nunca. É meu privilégio estar disponível para tudo o que precisar.

— Talvez se arrependa do oferecimento — provocou ela, nervosa.

Embora o comentário fosse inocente, a reação de Michael mostrou-se menos formal.

— Estou ávido por me provar capaz diante de você, ao contrário de quando...

O rubor tomou conta da face pálida de Hester. Não era comum, mas Michael de vez em quando insinuava que se conduzira como um tolo quando mais jovem, ocultando seus sentimentos a ponto de perder Hester para outro. Nessas ocasiões, como agora, exibia o semblante triste e arrependido.

Providencialmente, o mordomo entrou, introduzindo uma amiga, a marquesa de Grayson, conhecida pela tagarelice. Ela logo enervou Hester falando de sua bela aparência, de seus admiradores secretos e de como o ciumento lorde Regmont poderia reagir, dada a possessividade que demonstrava.

— Milady — o mordomo retornou portando uma bandeja com uma caixinha de joias destinada à patroa. Havia um cartão, que Hester pegou apressadamente. Michael notou-lhe os dedos trêmulos ao abrir o envelope. Então o pôs de lado e apanhou a caixa, que, aberta, revelou um caro broche de rubi. Sem demora, lady Grayson quis saber quem era o remetente.

— Regmont, claro — disse a jovem sem firmeza, mostrando a joia para a condessa. Era uma estrutura prateada pequena, porém marcante, com a reluzente pedra vermelha no centro. Trabalho de fino acabamento e bom gosto, como se poderia esperar de alguém que conhecesse bem o assunto. *Regmont*.

Uma expressão de desapontamento tomou conta do rosto da marquesa de Grayson, que apostava em algum amante oculto de Hester como autor da surpresa. Talvez o próprio Michael. Mas este só estava preocupado com a palidez da amiga. Ele reparou nos olhos lacrimejantes de Hester e tentou entender, a distância, os dizeres do cartão esquecido na mesa. Apesar do esforço do olhar, a escrita era indecifrável, mas a palavra *"Perdão"* estava suficientemente legível. Ele retesou o queixo enquanto uma série de questões e dúvidas passavam-lhe pela mente. Estaria Regmont se penitenciando por alguma recente agressão verbal ou física contra Hester? Ele só sabia pedir desculpas por meio de um presente caro?

A visitante aprovou a joia após examiná-la por todos os lados, e, nesse meio-tempo, o silêncio de Hester tornou-se opressivo. Michael pediu licença e saiu, incapaz de suportar o sentimento de que alguma coisa estava errada no mundo de sua antiga amada e ele nada poderia fazer a respeito.

Era fim de tarde e Jessica ainda não havia aparecido no convés. Alistair Caulfield a aguardava impaciente, cansado de observar as ondas singradas pela embarcação. Se ela tivesse desistido de conversar sobre negócios e o evitava dentro do navio, seria bem mais difícil conquistá-la em terra. Todavia, ele não abria mão de sua fantasia, agora exacerbada. Pretendia encontrar meios de estabelecer boas relações com Jess durante a viagem, dando início a uma aproximação mais íntima. Precisava descobrir a chave para o coração — e o corpo — dela. Na noite anterior, ele tivera a impressão de ter-lhe fragilizado a resistência, mas podia estar enganado. Rememorou a entrada dela no salão de jantar. Era uma imagem de tirar o fôlego de qualquer um. Na verdade, *sentira* que Jess tinha chegado antes mesmo de vê-la, tamanho era seu poder de sedução, capaz de alterar a atmosfera em torno de si. Em seguida, o peso e o calor do olhar feminino quase o fizeram desafinar a melodia que tocava ao violino. Queria que ela o visse do modo como era agora, não como a pessoa que tinha sido sete anos antes: um homem culto, sério, polido.

Mesmo ocupado com o instrumento, Alistair havia percebido o coque elegante, a cintura fina, o busto alto e farto, a pele de porcelana, enfim, o porte de uma verdadeira mulher, não mais de uma mocinha. O lado vulnerável dela, que ele conhecia, provocou-lhe um abalo nos instintos mais primitivos. Ele queria possuir aquela mulher tão apetecível. Não era capaz de abdicar de suas vontades fundamentais.

— Boa tarde, sr. Caulfield.

Droga! Até o som da voz de Jess podia lançar imagens eróticas na mente masculina. Alistair Caulfield gostaria de escutar uma entonação menos social, mais lânguida, nos gritos de prazer que por certo ouviria dela. Suspirou antes de encarar a recém-chegada.

— Lady Tarley. Parece bem descansada.

— É verdade, obrigada.

Mais do que descansada, ela estava espantosamente bonita. De vestido azul, carregando uma delicada sombrinha, Jessica era uma visão do paraíso no convés do navio. Ele não tirou os olhos dela nem saiu do lugar.

Jess juntou-se a ele na amurada, usou a mão enluvada para apoiar-se e observou o oceano sem fim.

— Sempre gostei do mar — disse ela devagar. — Existe algo de libertador, de calmante na contemplação de uma superfície sem obstáculos visuais. No entanto, preferiria não estar tão isolada em um belo navio como este. Seu pai, o duque de Masterson, deve ter orgulho do seu sucesso.

O som do título paterno teve o costumeiro efeito de despertar-lhe um arrepio, que Alistair afastou ao dar de ombros.

— Orgulho não é o termo que eu usaria. Mas o lorde está ciente das minhas iniciativas.

Jessica fitou-o, nervosa a ponto de morder o lábio inferior. Embora nenhum dos dois tivesse se referido à noite de transgressão no bosque de Pennington, a lembrança continuava entre ambos, mais pervasiva justamente porque evitavam citá-la. Caulfield gostaria de fazê-lo, pois tinha muitas perguntas a fazer a Jess, a fim de descobrir suas verdadeiras emoções. Em vez disso, porém, retomou um tópico mais neutro:

— Concordo que o mar é como uma camada de possibilidades e mistérios.

O sorriso dela foi fascinante.

— Sim.

— E como vai sua família?

— Todos bem. Minha irmã tornou-se uma anfitriã de renome. Poderá ser útil a você quanto retornar a Londres.

— Casada com um conde, não?

— Sim, eu os apresentei na véspera do meu casamento... — ela preferia fugir do tema da complicada família de Caulfield, mas Alistair adiantou-se.

— Meu pai ainda me vigia, mesmo a distância. Teme minha conduta como herdeiro do ducado.

— Diga-me, faz muito calor na Jamaica?

— Nesta época do ano a temperatura é amena. Você poderá continuar usando suas roupas elegantes. — Vaporosas, na verdade, e, ao dizer isso, mediu Jess da cabeça aos pés, francamente cobiçoso. — Aliás, você sempre se apresenta de modo impecável.

Ela curvou a boca, sem pretender passar-se por sedutora.

— É uma necessidade quando se discute negócios com cavalheiros conservadores. Você me atribui qualidades que não tenho.

— Absolutamente. Há razões para eu falar assim. Ficaria feliz se obtivesse sua estima.

Caulfield dava uma sequência menos agressiva à sua campanha de conquista. Jess ergueu a sombrinha fechada de modo a ocultar o rosto.

— Está no bom caminho, reconheço — disse ela, corajosa —, mas eu fiquei no começo.

— Claro que não — disse ele com um sorriso, barrando naquele instante qualquer traço de malícia. Talvez fosse a melhor estratégia.

A distância, na orla visível de uma ilha, surgiu uma praia selvagem.

— Gostaria de conhecer lugares assim — confidenciou Jess.

— Eu a levarei e farei companhia — Caulfield prometeu.

Ela fechou a sombrinha.

— Seguramente, sua obrigação para com Michael não vai tão longe.

— Ao contrário, vou apreciar muito. — E, assim que ouviu as próprias palavras, ele soube que havia revelado alguma intenção secreta na voz rouca. Nada podia fazer contra a imagem dela, molhada, a brincar na água com trajes de banho. Ao menos veria parte de suas longas pernas.

— Não posso tomar muito sol — preveniu-o Jess, afastando-se rumo à cabine. — Mas foi agradável conversar com você.

Alistair conteve um estremecimento.

— Manterei isso em mente — disse ele como despedida.

A breve nota de flerte no tom de voz dela o cobriu de satisfação. Era uma pequena vitória, afinal.

4.

JESSICA DESFRUTOU DE MAIS UMA REFEIÇÃO saborosa no salão, observando furtivamente sobre a mesa a figura de Alistair Caulfield. Era difícil admitir, mas ela estava maravilhada com o homem que ele havia se tornado. Tanto o imponente capitão do navio quanto o médico de bordo, chamado Morley, o tratavam com deferência, como empregados diante do patrão. Ambos pareciam admirar o chefe e respeitar as opiniões dele. Em troca, Alistair falava com eles de igual para igual, o que impressionou Jess.

Como na noite anterior, ela facilitou a conversação participando dos tópicos que os homens apreciavam debater. Na ocasião, discutiam o tráfico de escravos, assunto frequente em alguns círculos sociais. De início, Caulfield hesitou em expor seus pontos de vista, até mesmo em mencionar a maneira como supria o trabalho braçal em seu canavial. Depois, notando o interesse de Jess, não mais escondeu suas posições. Ela gostou dessa mudança. Nem seu pai nem Tarley jamais tinham discutido negócios ou política na presença dela.

— É verdade que a maioria das plantações utiliza trabalho escravo? — encorajou-se a indagar, ciente de que a abolição oficial da escravatura, em alguns países, não conseguira eliminar o servilismo disfarçado.

O capitão, como sempre, cofiou a barba.

— Como entre os piratas, a lei da terra não muda os costumes, apesar da fiscalização adotada.

— Piratas são um problema para você? — quis saber Alistair.

— São uma praga para toda a navegação, mas me orgulho de dizer que nenhum navio sob meu comando foi abordado.

— Claro — disse Jess, sorrindo para o comandante antes de atentar para a reação de Alistair. — Calypso depende de trabalho escravo? — perguntou-lhe.

— Sim, como a maioria das plantações.

— Incluindo a sua?

Ele ajeitou-se na cadeira, circunspecto.

— Da perspectiva dos negócios, a escravidão reduz os custos. Do ponto de vista moral, prefiro ter auxiliares livres, trabalhando com salário.

— Está sendo evasivo — retrucou ela.

— Não utilizo escravos na minha fazenda Sous la Lune — esclareceu ele. — Uso servos contratados, na maioria chineses ou indianos. Tenho alguns negros trazidos da África, mas são alforriados.

— *Sob a Lua*... — repetiu Jess, traduzindo o nome da propriedade. — Encantador.

— Pode me chamar de sentimental.

Jess sentiu uma fraqueza nos braços. Mais uma vez, Alistair parecia referir-se à noite de erotismo no bosque de Pennington. No entanto, se fosse verdade, recorria a um tom quente e íntimo, não zombeteiro, repleto de sugestões indiscretas. Mas como um incidente despudorado poderia ter valor sentimental para ele?

Tomando um gole de vinho, Caulfield a fitou com evidente prazer nos olhos, o que lhe aqueceu os músculos, como se estivesse debaixo do sol. Jess precisava reconsiderar a visão daquela noite. O ato em questão havia sido obsceno, e até o momento ela o vira apenas por esse aspecto. Mas poderia existir *algo mais*, a partir da ardente troca de carícias e olhares. Não conseguia entender nem explicar isso, embora a confissão feita a Tarley tivesse mudado sua vida. Naquela mesma noite, e ao longo do casamento de seis anos, ela tinha sido doutrinada nas artes do amor físico, porém, agora, admitia que *quase nunca* se tratava de um prazer exclusivamente sensorial. Tal detalhe a assustava. Teria Alistair ganhado a mesma percepção com o passar do tempo?

— Por que Tarley manteve escravos depois da abolição da escravatura, se existiam alternativas? — perguntou, retomando o tema, em busca de algo menos pessoal para discutir.

— Não pense mal dele — retrucou Alistair. — Tarley não era responsável direto pela supervisão de Calypso. Contava com capatazes que agiam segundo os melhores interesses do patrão.

— Os interesses do lucro fácil. E onde fica a moralidade, a solidariedade humana?

— Tem razão, mas os ideais, sejam bons ou maus, não proveem roupa nem comida.

— *Você* adotou outros meios — argumentou Jess —, e nem por isso empobreceu ou abriu mão do conforto.

— O sucesso nos negócios me permitiu ser mais condescendente.

— Devo entender, então, que ideais podem ser comprados ou vendidos?

— Pouco edificante, talvez — contestou ele, retraindo-se —, mas verdadeiro.

Bem, ali estava alguém que evoluíra em matéria de polidez e finura, porém era inegável que, mais moço, tinha vivido do dinheiro arrecadado por meio de favores sexuais. Talvez tentasse disfarçar seus princípios condenáveis. Sem aviso prévio, Jess ergueu-se da mesa e rumou para sua cabine.

— Jessica! — soou a voz forte de Alistair no meio do corredor. — Não tive a menor intenção de irritá-la. Tarley não era tolo e tomou decisões para o seu bem; só aproveitou as oportunidades.

— Já não importa muito. — Assim como fizera com Benedict, ela não temia revelar-se para Alistair. — Não culpo os costumes locais e sei que aqui faltam empregos formais. Todavia, em função da minha sensibilidade, quero renegociar os contratos referentes à minha fazenda. Talvez compre um navio e aproveite os servos mais capacitados na tripulação. De qualquer modo, acho possível encontrar maneiras de concretizar meus ideais.

— Estou sendo injustamente punido, milady. — Os olhos dele brilharam sob as luzes do corredor. — Tive a impressão de que você queria vender Calypso, e, nesse caso, seu questionamento pertenceria ao passado, não ao futuro.

— Humm... — Ela permanecia cética.

— Certa vez subestimei você — ele admitiu —, mas isso foi há muito tempo.

Jess não conteve o impulso de perguntar:

— O que modificou sua opinião?

— *Você mesma* — disse Alistair, exibindo seu sorriso infame. — Quando teve a opção de ficar ou de fugir daquele arbusto, você ficou.

Aquele golpe na autoestima deu a Jess coragem para abrir a porta dos seus aposentos. Por sobre o ombro, fitou-o.

— No que me diz respeito, nunca subestimei você. Ainda nos veremos, mesmo por que não há outro jeito.

— Sugiro que não comece agora. Boa noite, lady Tarley.

Ela entrou e trancou-se no quarto, preocupada com os batimentos acelerados do coração. Pressionou contra o rosto a camisola fresca que Beth lhe deixara preparada sobre a cama.

Hester ajeitava o coque quando o marido entrou, seminu, no dormitório do casal. Ele já estava banhado e barbeado. Era inegavelmente bonito: cabelos cor de mel e olhos azuis. Juntos, formavam uma dupla agradável: ele, em sua exuberância madura; ela, envolta em um manto de recato.

Regmont sinalizou que a criada, Sarah, deveria recolher-se, o que ela fez depois de apontar o novo vestido azul que a patroa deveria vestir.

— Esperava ver você na roupa vermelha com laços. Fica-lhe muito bem, especialmente se também usar as pérolas da minha mãe — disse ele, como se invocasse um direito.

Para Hester, era mais fácil atender ao pedido do que iniciar uma discussão, durante a qual o marido não fugiria de sua secreta violência, habitual quando ingeria álcool.

Sozinhos, Hester vestiu-se e aproximou-se de Regmont, disponível. Como sempre, ele cravou os dedos nos ombros desnudos da esposa, e, como sempre, ela se esquivou, pois o gesto era mais doloroso do que provocante. Conferiu a aparência no espelho, e ali percebeu também a presença impositiva do lorde.

— Recebeu meu presente? — murmurou ele, colando-se por trás ao corpo dela.

— Sim, obrigada. É bonito — respondeu, fazendo menção de sentar-se à penteadeira, mas sentiu os lábios masculinos à procura de sua orelha.

— Mas empalidece em comparação com você. Eu não a mereço, querida.

Hester pensava com frequência que sim, que ambos se mereciam. Até o matrimônio, Jess sempre intercedera por ela diante das crises de fúria do pai. Ironicamente, Regmont enfrentara a ignorância grosseira do próprio pai: ele tinha apanhado bastante na infância e na adolescência, e isso deixara cicatrizes que desmentiam a suposta afinidade imaginada por Hester. Os dois haviam aprendido a sobreviver, porém, ela tinha adquirido outros traços. Uma marca forte fora impressa em sua alma, capaz de manifestar-se de maneiras ainda não evidentes.

— Como passou o dia? — inquiriu ela.

— Pensando em você — disse ele com cavalheirismo, instando-a a virar-se. Regmont ajoelhou-se diante dela, as mãos lhe apertando o dorso, e pousou a cabeça no colo da mulher. — Perdoe-me, querida. Você é tudo para mim. Ninguém me compreende tão bem.

— Então não beba — pediu Hester. Ela sempre cuidava para não ter nenhuma garrafa de bebida alcoólica à vista na casa, mas o lorde encontrava subterfúgios para se embriagar fora dali. Ela tocou-lhe os cabelos úmidos, deslizando os dedos pela cabeça do marido. — Você se transfigura quando bebe.

— É verdade. Perco o controle. Mas nunca quis machucar você de propósito — ajuntou ele ao desvelar a coxa da mulher e ver um hematoma. Ele precisava parar com a mania de exibir-se nos bares, contando anedotas e bebendo com amigos antes de voltar para casa. Sem contar que podia embriagar-se livremente nas viagens de negócios que fazia. — Consegue me perdoar?

Era cada vez mais difícil responder àquela indagação. Normalmente, Regmont era o marido perfeito, bondoso e prestativo. Mimava Hester com presentes caros, como se tentasse comprar sua cumplicidade e silêncio por reconhecer que, em certas ocasiões, se convertia em um monstro.

Ainda havia um resquício de amor por parte de Hester, aflorado durante a fase inicial do casamento. Mas agora, em muitos momentos, ela também o odiava.

— Querida, deixe-me adorá-la como merece. — E, dizendo isso, segurou-lhe os pulsos com força.

— Por favor, milorde. Somos esperados no baile dos Grayson. Meu cabelo está arrumado.

— Não vou desmanchá-lo — prometeu ele em tom sedutor, erguendo a roupa da esposa a fim de acessar-lhe as partes íntimas.

Tinha experiência de depravação carnal em carruagens e alcovas. Era determinado quando em estado de tensão. No capítulo das inclinações amorosas, nunca aceitava um "não". Nas poucas vezes em que tentara negar-se, Hester havia sido agredida fisicamente. No entanto, era penoso abster-se do orgasmo múltiplo que o marido lhe propiciava ao usar com maestria a boca e a língua. Quando perdia o fôlego, ele parava só para respirar rapidamente e elogiar a genitália feminina como sendo uma concha vermelha com uma pérola escondida. Naquela noite, Regmont afastou as bordas do calção de baixo da esposa e lubrificou-a com saliva, para depois acariciar seu ponto sensível. As mãos mantinham separadas as pernas dobradas de Hester, que não demorou a atingir o clímax. Sem dúvida, preferia isso à humilhação de apanhar. E ele era sábio em seu estilo de fazer sexo oral, privilegiando-a mais do que com o uso do membro viril.

— É tão bonito e macio aqui — comentou ele. Orgulhoso dos gritos e sussurros que havia despertado, louvou a cor e as proporções do clitóris da esposa. — Amo você.

Saciada, Hester imaginou se o adorado Michael teria igual desempenho, acrescido de maior ternura. Todavia, abafou essa fantasia, conformada em viver para sempre com Regmont, enfrentando o persistente conflito entre atração e repulsa.

Recompuseram-se depressa e se vestiram para a festa na casa dos Grayson. Pouco depois, entraram na carruagem e seguiram viagem. Quietos, mas de mãos dadas.

5.

A CRIADA BETH OLHOU PARA O TETO DA CABINE, atenta ao barulho que vinha do convés. Havia intensa atividade ali.

— O que será isso?

Jess colocou de lado o livro que estava lendo e franziu a testa. Era o meio da tarde e ela permanecera reclusa, ponderando acerca da crescente fascinação que sentia por Alistair Caulfield. Reconheceu-se assustada por conta da fixação e atração que nutria por aquele homem, pessoa distante da formação moral que tivera e talvez inadequada até mesmo para um romance passageiro. Julgou perigoso pensar nele tanto assim, considerando que o maior bem que possuía residia na própria reputação.

Não que Jess, viúva e sozinha, jamais pudesse ter um amante, apesar do natural recato. Sua experiência com sedução e conquista era limitada ou inexistente. O matrimônio tão satisfatório com Tarley a tinha distanciado de ligações sexuais clandestinas — aliás, contrárias aos seus princípios. Ela não possuía sequer a noção de como agir em casos assim.

Quantas senhoras casadas tinham seguido Caulfield até o famigerado coreto? Quantas mulheres se passavam por sérias e puras em reuniões sociais, e, no entanto... Ela considerava deprimente esse tipo de interação física. Os sons vindos da parte de cima do *Acheron* interromperam suas reflexões. Ela ouviu explosões além do barulho de objetos pesados rolando pelo convés.

— Canhões? — interrogou Beth, os olhos arregalados.

Jess estacou.

— Fique aqui.

Abrindo a porta, ela deu alguns passos no corredor e descobriu o navio tomado pelo caos, com marinheiros correndo para todo lado.

— O que está acontecendo? — gritou Jess para Miller, que estava mais próximo dela.

— Piratas, milady! — Que, obviamente, estavam sendo repelidos por bombas de médio alcance, mas contra-atacavam com explosivos lançados ao convés do *Acheron* e se preparavam para a abordagem.

— O capitão me garantiu que nunca foi abordado por piratas — ela disse a Beth, ao retornar para a cabine.

— Então, por que o pânico?

— Precaução não é sinal de derrota ou de medo — Jess frisou de forma áspera à criada que tremia. — É bom que os piratas nos vejam dispostos e capazes de lutar. — Então encheu um cálice de clarete e o tomou, sugerindo que Beth fizesse o mesmo. — Volto logo.

Desviando-se dos homens que congestionavam a passagem, Jess chegou ao convés, mas, procurando pelo barco inimigo, não viu nada no mar. Contudo, no leme do *Acheron*, teve uma visão de tirar o fôlego: Alistair dirigia a embarcação, parecendo ele próprio um pirata. Sem casaco nem colete, estava na torre de comando com as pernas afastadas e um punhal na cintura. Vencia as ondas em velocidade. A situação explicava por que ele não tinha ido à cabine a fim de protegê-la, o que fazia parte de suas atribuições. Algo maior estava em jogo. Mas o quê?

Jess ficou abalada com a cena. O vento agitava os cabelos negros de Alistair. Uma máscara de terror e violência lhe desfigurava o semblante. O perigo em torno pôs-lhe o coração em disparada. Então ele viu Jess. Meneou a cabeça para ela, que se esforçou para subir a escada metálica até a torre. Sem deixar de manobrar o navio, com o braço livre, Alistair a puxou pela cintura, em um abraço encorajador.

— É perigoso demais ficar aqui — avisou, gritando acima do alarido. — Vá lá para baixo e fique longe das escotilhas.

Jess perscrutou de novo o mar aberto.

— Não vejo piratas. Onde estão?

Antes de responder, Alistair a empurrou, colocando-a entre o leme e o corpo dele.

— Muito perto — respondeu ele. — Eles sabem se esconder.

No que se referia ao encontro íntimo dos dois, era verdade.

— O que você está fazendo?

Alistair aproximou os lábios do ouvido direito dela, o são. — Já que deseja conversar comigo sob circustâncias adversas, devo protegê-la.

— Isso é desnecessário. Eu irei...

Uma explosão próxima assustou Jess e a fez saltar. Em seguida, um projétil de canhão atingiu a água em torno deles, espalhando o líquido no ar.

— Tarde demais. Não posso correr nenhum risco com você.

A pressão do corpo rijo contra suas costas aqueceu Jess a ponto de arrepiá-la. Parecia impossível naquelas condições, mas Alistair estava tendo uma ereção. Por isso tirou a mão da cintura e colocou-a sobre os seios dela, buscando-lhe os lábios para um beijo vitorioso. Ela desviou o rosto a tempo e recebeu a carícia apenas na face. Acusou, porém, a excitação que aquele homem causava nela, e a distância existente entre isso e as conveniências sociais. Por mais que tentasse não sentir nada, Jess desejava Alistair a seu lado. Já fazia um bom tempo que se reencontrara com ele e vinha se comportando como um fantasma indiferente apenas para preservar sua autoestima e posição social. Também fazia um ano que o marido, lorde Tarley, falecera e ela ficara sozinha, mas saudável, pronta para um flerte. Agora via-se com os quadris colados à virilha de um homem que poderia não ter intenções honradas, porém era vibrante e caloroso, e talvez a amasse de verdade. Tal possibilidade a fascinava mais do que toda a convivência com um esposo honesto. Sobretudo porque lhe traria, junto com o prazer renovado, a sonhada paz de espírito.

Percebendo a alteração em seu estado, Alistair indagou alto:

— Jessica?

No mesmo instante, um marujo gritou para os dois, prevenindo-os. O grito se confundiu com o som de uma bomba atingindo o casco do *Acheron*, seguido do habitual jorro de água no ar.

O pânico tomou conta de Jess, que lutou contra o abraço restritivo de Alistair.

— *Solte-me!*

Obedecendo, ele a viu correr sem rumo pelo convés, na direção da escada atulhada de gente.

— Jessica!

Desde a véspera do casamento com Tarley ela não sofria uma crise de medo como aquela. No íntimo, era bombardeada por más lembranças: o pai gritando impropérios, a mãe chorando, garrafas sendo quebradas, estalidos de chicote, uma arma apontada, seus soluços de aflição... Tais memórias vivas se misturavam à atual confusão em torno dela e formavam uma barreira sonora que Jess não conseguia absorver. A comoção pesava em seu ouvido bom, desequilibrando-a e deixando-a fora do eixo. Descuidada por causa da pressa, Jess trombou com diversas pessoas no caminho de volta à segurança de sua cabine.

Mais tarde, com a relativa calma instalada no cenário, Alistair dormiu um pouco, sentado, e despertou antes de o sol nascer. Foi então ao convés trabalhar com a tripulação, pois precisava de uma válvula de escape para a energia que tomava conta dele.

Jessica declinara do convite para jantar no salão na noite anterior. Com a chegada do novo dia, deveria finalmente aparecer em algum ponto da embarcação recém-atacada. Ele já não pensava em pirataria, em sobrevivência, somente no que o levara a esfregar-se no corpo de Jess e tentar beijá-la. A conduta elogiável que tivera até então tinha sido arruinada em poucos instantes. Ele reconhecia a culpa. Com o vento no rosto e a agitação em torno, admitiu que uma implosão dos sentidos o levara à irresistível urgência de agarrar Jess e tentar possuí-la.

Pensara em ir atrás dela quando ela fugira, mas não podia abandonar o leme, pois de suas manobras dependia a fuga do ataque criminoso. Desapontado com a ausência dela no jantar, não havia participado dos debates à mesa sobre a ação de pirataria, por mais que seu comportamento fosse elogiado, bem como o do capitão Smith, responsável pelo canhonaço de revide e defesa do navio.

Alistair viu então a criada Beth aproximar-se da amurada. Vestia gorro e xale e contemplava a imensidão do mar. Ela acenou para Miller, cujas simpatia e juventude prenunciavam um namoro entre os dois. Alistair então se aproximou e saudou-a, recebendo em troca uma breve reverência.

— Senhor?

— Queria notícias de sua patroa. Ela está se sentindo bem? Não tem aparecido. Se precisar de alguma coisa, não hesite em me pedir.

— Receio que não haja jeito. — A moça exibiu um sorriso triste. — Hoje faz um ano que ela perdeu o marido, por isso decidiu guardar luto por algumas horas.

A morte de Tarley era o que a abatia? Jess fugira de Alistair tão subitamente que ele imaginara que a culpa fosse sua.

— Ela precisa de um tempo sozinha, senhor — prosseguiu a criada. — Dispensou-me porque queria se deitar. Por certo estará melhor amanhã.

Com um meneio de cabeça, Alistair afastou-se, cerrando os dentes. Droga! Tinha inveja e ciúme de um homem morto! Ele descobrira que, na véspera do casamento, Jess convencera o noivo a satisfazer-lhe os desejos que *ele* tinha acendido nela. Se ele, Alistair, despertara em Jess a paixão sensual, fora Tarley quem gozara do direito de desfrutá-la. De certo modo, a história se repetia novamente.

Ofendido em seus brios, Alistair dirigiu-se à cabine de Jess, onde entrou pela porta destravada. Como ouviu barulho de água, foi direto para o banheiro. Premiado pela ousadia, deparou com Jess na banheira, semicoberta de espuma, revelando os ombros desnudos e uma perna dobrada, cuja coxa muito alva ela logo escondeu.

— Sr. Caulfield — disse ela, visivelmente contrariada. — Ninguém o ensinou a bater na porta?

Jess tinha os cabelos envoltos em uma toalha. Não denunciava medo nem vergonha de insinuar suas belas formas, ligeiramente visíveis sob a espuma branca. Ela havia solicitado um bom estoque de água, suficiente para encher a banheira. Na borda desta, equilibrava-se uma garrafa de vinho. O corpo e a pele de Jess torturavam os sentidos de Alistair, mas ele se conteve diante da situação.

— Quer tomar uma taça? — surpreendeu-o ela. Alistair esticou o braço por cima de Jess, pegou a garrafa e bebeu um gole direto do gargalo. — Você parece notavelmente à vontade ao observar uma dama na toalete.

— E você, notavelmente à vontade ao ser observada — foi a resposta dele, instalando-se em uma cadeira a fim de prolongar a paradisíaca visão.

— Faz isso com frequência? — incitou-o de novo Jess.

Alistair conhecia o risco de discutir amores passados. Portanto, não começaria agora.

— E você, faz?

— É minha primeira vez.

— Fico muito honrado. — Aquele território lhe era estranho. No dia anterior, ele a havia acariciado perto demais, cedo demais. Não repetiria o erro, mesmo diante de uma beldade nua, embriagada e desinibida que ele cobiçava por anos a fio. Até um santo se trairia, quanto mais Alistair Caulfield! Mas o desanimava a ideia de que Jess ainda pudesse estar tão ligada a Tarley. Como competir com um espectro, um fantasma?

— Por acaso está se preparando para jantar no salão? — indagou ele em um tom o mais casual possível.

— Não acompanharei você — retrucou Jessica, reclinando-se na banheira e fechando os olhos. — E você não deveria me acompanhar na minha cabine particular.

— Basta pedir que eu sairei no mesmo instante. Embora julgue que alguém deva ficar sempre ao seu lado. Você dispensou Beth, então fico feliz em substituí-la.

— Aproveita-se da minha solidão e da sua impetuosidade, como ocorreu ontem. — Ela suspirou. — A reputação me é muito importante.

— Para mim também. Seu bom nome me é importante.

— Por quê? — Jessica abriu os olhos cinzentos.

— Se importa para você, importa para mim.

O olhar dela seria desconcertante se Alistair não estivesse determinado a ser completamente honesto com Jess. Por isso a acusou:

— Você gosta de se exibir...

— Gosto de ser espiada no banho por se tratar de você. É perturbador.

Alistair escondeu um sorriso de satisfação.

— Você está se revelando uma exibicionista.

Também ela era honesta com Alistair; um pouco embriagada, mas franca. Ele nutria admiração por Tarley, o falecido marido de Jess, o primeiro homem na vida dela e seu mestre em tudo o que envolvia erotismo. Tal sentimento, porém, não excluía uma dose de frustração machista. Talvez por ser mais maduro e racional, Benedict Tarley não tivesse conseguido saciar o apetite sexual da esposa. A forma física e os talentos sensuais de Alistair contavam pontos a seu favor, atraindo as mulheres que o assediavam.

Nunca, até aquele momento na cabine do navio, ele confiara tanto nos próprios dotes.

— Vamos reconhecer que a atração entre nós é mútua — comentou ele.

— Mas não tem lugar normal em nossas vidas — esmerou-se ela em responder.

Alistair aproximou-se de Jess.

— Mas não estamos em um momento normal das nossas vidas agora. Nem estaremos nos próximos meses ou semanas, pelo menos.

— Somos muito diferentes. Talvez você pense que, naquela noite no bosque de Pennington, eu me excitei profundamente, pelo resto da minha existência. Porém, asseguro-lhe que fiquei confusa e mortificada, nada digno de nota além disso.

— E agora viaja por longa distância não por necessidade, mas por escolha. É uma mulher excepcionalmente rica. Não lhe cabe envolver-se nos velhos negócios de Tarley, e sim aproveitar bem sua fortuna. Para mim, isso é intrigante, assim como sua disposição de mudar o mundo salvando os escravos, os pobres e os excluídos da sociedade.

Jessica tomou o resto do vinho que ainda havia na taça. Dobrou as pernas e abraçou os joelhos.

— Não posso ser sua amante — sentenciou, de forma concisa e firme.

— Nunca lhe pediria isso. — Erguendo-se, Alistair tirou o casaco e pendurou-o no espaldar da cadeira. De pé, sentiu todo o poder de sua ereção, que era como um atiçador de fogo. — Não almejo nenhum arranjo especial com você, não quero ser servido, mas servir, aplacar todas as suas fantasias, necessidades e momentos de tensão, como agora. Precisamos terminar o que começamos sete anos atrás. O que me diz?

6.

ALISTAIR VIU QUE JESS AVALIAVA SUA SUGESTÃO, porém, ao responder, ela disse apenas que não pretendia ter aquela mesma discussão todos os dias.

— É por isso que Tarley lhe deu a propriedade de Calypso? Porque desejava conservá-la presa a ele, impedindo-a de ser feliz com outro?

Ela pousou a cabeça nos joelhos dobrados.

— Benedict foi um homem extraordinário, incapaz de tanto egoísmo — explicou, suspirando fundo. — Ele me disse para ser feliz, para amar de novo. Certamente, pensava em um segundo casamento para mim, não em intimidades com um macho promíscuo... Os homens sempre têm mais liberdade.

— Se é liberdade o que procura, por que casar-se de novo? Além do quê, será difícil encontrar um novo Tarley disponível.

— Não é minha intenção. E já que sou estéril, tenho pouco a oferecer a um homem.

— Pouco? — Alistair examinou de novo, fascinado, as curvas de Jess. — As considerações financeiras e hereditárias são válidas, claro, mas quais são as suas necessidades como mulher? Vai fugir para sempre dos carinhos masculinos?

— A maioria dos homens só causa dor.

Ele sabia que Jess não se referia a Tarley. O bom relacionamento dos dois havia sido evidente.

— De quem você está falando?

Então Jess saiu da banheira e mostrou-se em toda sua exuberância física, como uma Vênus surgindo das águas. Não estava nem um pouco envergonhada com o fato de estar nua diante de um homem. As mãos dela percorreram os seios plenos, depois o abdome. Talvez pretendesse secar-se dessa maneira, mas havia algo mais: uma visível explosão dos sentidos. Ela apalpou as próprias nádegas, entre suspiros crescentes, e em seguida desceu os dedos até o baixo-ventre, procurando entre as pernas o botão rosado escondido em sua genitália. Parecia transportada pelo desejo, que a autoexcitação apenas ressaltava. Tal como Alistair, Jess estava presa em uma onda de lascívia fortalecida pelo exibicionismo, e que também o deixava motivado a ponto de sentir dor em seu membro rígido.

— Como você é bela! — exclamou Alistair, sem escandalizar-se com aquela cena provocante, mas disposto a tirar proveito dela. — Deixe-me enxugá-la.

Ele retirou a toalha que cobria a cabeça dela e pressionou-a nos ombros, depois no pescoço, e, enfim, no peito de Jess. E, ao fazê-lo, inclinou-se a fim de abocanhar os convidativos seios dela. Sugou-lhe um a um os mamilos, com intensidade e adoração. Estavam duros e proeminentes. Alistair sentiu que ela ansiava por afagos orais na área genital, mas não se furtou, antes, a um demorado, quente e molhado beijo na boca. Decidira satisfazê-la, se tivesse a chance, até o limiar da loucura. Assim ela se esqueceria de qualquer outro, menos dele. E, naquele instante especial, não se afastaria nem vestiria o roupão pendurado na porta do banheiro. A própria pele úmida serviria para aumentar-lhe o prazer.

Em um instante de racionalidade, porém, Alistair ponderou que preferiria possuir uma Jess mais lúcida, desperta daquele torpor sensual, com um semblante indicativo de que ela estava de plena posse de suas faculdades mentais. Todavia, como macho ativo que era, não iria desperdiçar a glória de fazer sexo com ela. Viu-a abrir as pernas, dando-lhe acesso ao alvo. Alistair, agachado, esmerou-se nos toques de língua, vibrantes e certeiros.

— Você não tem nenhuma inibição — comentou ela, usufruindo a sensação.

Ele fez uma pausa para tomar fôlego. — E você menos ainda. Eu teria vergonha se, como homem, não a desejasse tanto.

— Bem, toda mulher é suscetível a isso. E eu sempre fui curiosa.

Faltava saber o que mais ela faria com essa curiosidade. A rigidez do seu membro o perturbava. Jess o acolheria na boca? Deitada, se abriria para que ele usufruísse dela por inteiro? Era fácil para Alistair prever o que faria com aquela maravilha de corpo. E ela, sem dúvida, se lembrava da virilidade dele, exibida no coreto.

— Antigamente— prosseguiu ele —, eu pensava que fosse frígida, indiferente ao sexo. Mas, ao contrário, você é ardente, deliciosa. Sei como aquecê-la ainda mais...

Envaidecida, de repente Jess acordou para a realidade. Então, com um safanão, livrou-se de Alistair e deu dois passos para trás. Estupefato com a mudança de atitude dela, que, inadvertidamente, chegara a almejar, Alistair viu-se mudo, sem nenhuma colocação a fazer. Apanhou a garrafa de vinho e encheu meio copo para si. Jess escondeu sua intimidade com as mãos, o que àquela altura não fazia o menor sentido. Ela olhou para sua taça, ainda na borda da banheira, esperando que não estivesse vazia.

— Por que quis parar? — perguntou ele finalmente. — Não é melhor ser possuída por mim em vez de se masturbar?

— Chega! Não posso — disse Jess, esquecendo-se da bebida diante do olhar ansioso de Alistair.

— Como assim? — Os sinais de excitação que ele havia percebido eram totalmente contrários àquela declaração. Então notou que Jess estudava o volume saliente que lhe estufava a calça. — Deixou-me todo alterado e agora...

— Ainda estou em horário de luto por Tarley. Aguarde o momento certo.

Alistair conteve um riso de deboche. Havia sido informado da situação por Beth, mas a alegação era descabida, ilógica naquele contexto. Afinal, Jess passara um ano inteiro sem amor e sexo, e agora que tinha oportunidade — e desejo suficiente —, fugia de seus anseios como se corresse do diabo. Talvez ele tivesse de ser mais romântico, se quisesse concretizar a conquista daquela mulher incomum.

Mas, para surpresa de Alistair, ela o conduziu pela mão até a cama. Outra mudança de comportamento, típica de sua instabilidade emocional. Continuava nua, porém soltou os cabelos encantadores. Permaneceu deitada, abraçada a Alistair, que não se furtou a tocar-lhe delicadamente o corpo.

— Você ainda me quer? — perguntou ela em tom malicioso.

Alarmado, ele reprimiu um sorriso. Talvez aquele fosse um hábito entre ela e o marido, mas se sentia esgotado. A não ser que Jess tomasse a iniciativa... Ela entendeu a pretensão de Alistair, embora considerasse pouco romântica a posição de cavalgar o homem, como Tarley tinha lhe ensinado. Suspirando, adiantou que não sabia se conduzir na cama com a devida arte e técnica.

Decidido, ele deslizou as mãos pelos glúteos de Jess.

— Casos assim costumam ser impróprios, do ponto de vista estético — disse Alistair, sem sorrir.

— E nada românticos — argumentou ela. — Prometo me esforçar para lhe dar prazer. Aliás, é minha vez de olhar e de tocar você.

Então Jess tomou posição entre as pernas dele e o despiu devagar, parando para beijá-lo e tocar-lhe a pele com a língua. Depois, admirou o falo bem formado que, por anos a fio, havia lhe dominado a imaginação. Previu a sensação que teria quando o órgão finalmente a pressionasse entre as coxas.

— Vou lhe devolver todas as carícias — anunciou ela, incisiva.

— Devo acreditar?

— Pois relaxe e aproveite...

De joelhos, Jess demonstrou surpreendente perícia. Manuseou o membro masculino, afagou-o com os lábios, depois abrigou-o na boca, a fim de sugá-lo, colhida por uma sensação de plenitude. Curiosamente, além de murmúrios de deleite, ela soltava risadinhas nervosas, de certo modo contagiantes. Alistair estranhou, mas aquele tendia a ser o diferencial de Jess em relação às tantas outras mulheres com as quais ele havia se deitado.

Sem condições de prolongar a estonteante agonia, Alistair saiu de sua passividade assim que se percebeu dentro dela. Segurou-a pela cintura e tombou-a no colchão, posicionando-a debaixo de seu corpo. Penetrou-a lentamente, com paixão, demorando-se nos pontos em que percebia despertar maior resposta. Foi acelerando os movimentos aos poucos, até ouvir os gritos de Jess, que enfatizavam o auge da relação. Então deixou sua seiva vital jorrar na cavidade úmida. Por fim, deitou-se ao lado dela, atordoado. Abraçada a ele, Jess ergueu o queixo. Então riu com vontade.

— Você sabe mesmo como fazer. Fui ingênua em esperar tanto tempo...

O sorriso dele foi quente e divertido. Mudou de posição a fim de afagá-la nas costas. Ainda lhe acarinhou os seios e o ventre, tocando-lhe a genitália.

— Nunca se menospreze como parceira. Você é incrível! E capaz de transformar tudo isso em algo singularmente romântico.

Era tolice, mas Jess aceitou o conceito. Era muito bom ver-se estimulada a ser ela mesma. Na verdade, houvera ternura e afeto na relação.

— Você gostou? — Alistair quis saber, acariciando-lhe o rosto suave, como Jess também fizera em um gesto inesperado.

— Você sabe ser meigo.

— Penso o mesmo de você. Vamos concordar... tudo, absolutamente tudo parece natural entre nós dois.

Jess abaixou a cabeça e preparou um beijo intenso. Quieto, Alistair ficou na expectativa, vigilante. Assim que experimentou o contato, ajustou-se ao corpo da companheira, mantendo os lábios semiabertos, temperados por uma sede sensual. Ela possuía uma boca firme, mas delicada, além de uma técnica fenomenal. Jess se entregou à nova e poderosa sensação que ele lhe propiciava. Enquanto os beijos de Tarley eram sempre reverentes, os de Alistair eram cheios de sensualidade, e lhe exploravam a boca com a língua. Depois ele passou para o pescoço e o lóbulo da orelha de Jess, que, motivada, empinou um dos seios com os dedos, oferecendo-o.

— Quer mais uma carícia aí? Com a mão? — indagou Alistair.

— Com a boca! — foi o pedido irrecusável. E, assim dizendo, deitou-se na transversal e abriu-se toda para ele.

Um minuto depois, ele estava percorrendo com a língua o clitóris ainda saliente de Jess. Para sua felicidade, ela terminou logo e abafou os gemidos, imaginando que Beth estaria de volta a qualquer momento, escoltada por Miller, após um encontro íntimo com o namorado.

Alistair foi ao banheiro a fim de recompor-se. Iria vestir-se, determinado a ir embora. Contemplou Jess deitada, nua, ressonando, os lindos cabelos esparramados sobre os travesseiros. Cobriu-a ternamente com a colcha após fazer o nó da gravata.

— Humm — ouviu o murmúrio dela. — Não quer ficar?

— Por incrível que pareça, ainda tenho de tratar de assuntos profissionais — falou ele em tom de desculpa. — Amanhã é outro dia. Então veremos.

— Não se vá. Ainda não me deu o bastante. — Mais clara, impossível.

Assim desafiado, Alistair retornou à beirada da cama. Arrumou os cabelos de Jess e acarinhou suas curvas uma vez mais. O calor da pele feminina e a voracidade presente em suas terminações nervosas se converteram em delicioso tormento.

— Não prefere dormir?

— Só quero você mais um pouco dentro de mim.

Então ela o prendeu com um braço e abocanhou-lhe o pênis, a fim de obter mais firmeza do membro um tanto flácido. As mulheres, ele pensou, como geralmente eram passivas no ato de amor, desconheciam que a virilidade do homem se diluía ou se esgotava em pouco tempo. Sobretudo depois de uma repetição sem a observância de um intervalo para descanso e recuperação.

Reclinada, Jess abriu as pernas e as apoiou nos ombros de Alistair, deixando-o mais confortável e com caminho livre até sua enigmática intimidade. Ele voltou a utilizar a língua, mas precisaria de certo esforço para penetrá-la. No entanto, não cogitava frustrar-lhe o desejo, acirrado por tantos anos de distanciamento.

Foi salvo por leves batidas na porta. Devia ser Beth, já de volta à cabine. Alistair terminou de vestir-se depressa e foi abrir a porta, dando acesso à fiel criada, que parecia alegre e contente. E aproveitou para sair dali em silêncio, sem despedidas.

Alistair descobrira que Jess era fogosa, e insaciável... Pressentiu que seu corpo já não lhe pertencia, e a recíproca era verdadeira. Os sons que ela fazia, os gemidos que não economizava, as próprias curvas e trejeitos se tornavam afrodisíacos.

Aquela era a mulher que ele havia visto no bosque de Pennington. *Aquela* era a amante com quem sonhara fazer sexo até suas entranhas doerem.

Passava da meia-noite quando Michael Sinclair saltou da carruagem em frente ao Clube Remington, exclusivo para cavalheiros. O saguão de entrada já impressionava por suas colunatas. Ele subiu os largos degraus da escada até a porta dupla que um mordomo segurava aberta para acesso dos sócios e convidados. Michael confiou ao serviçal a cartola e as luvas, notando depois os graciosos arranjos florais em uma mesa circular. Lucien Remington, industrial de sucesso, dedicava-se, com o avanço da idade, quase que tão somente ao convívio social. Era conhecido pelo bom gosto e pelo grande número de amigos na nobreza britânica. Ele saudou o jovem Sinclair efusivamente, pois este era, por herança, o futuro conde de Pennington.

A sala de jogos contígua era o centro dos negócios do clube. Dela partia a escada que levava a um salão de esgrima e aos quartos privativos dos cortesãos. À direita ficava o escritório particular de Lucien. À esquerda, o bar e a cozinha. O cheiro da fumaça dos charutos e dos pratos sofisticados que ali eram servidos ajudou a aplacar os nervos de Michael, que estavam tensos desde que visitara Hester no dia anterior. Mas isso durou pouco, pois ele avistou logo em seguida o conde de Regmont, marido de Hester, a uma mesa. O conde ria alto, na companhia dos lordes Trenton, Hammond e Spencer Faulkner. Como, entre todos os presentes, Michael só conhecia Regmont, sentiu-se pouco à vontade ao ocupar a cadeira restante.

— Boa noite, Tarley — cumprimentou-o Regmont enquanto erguia o braço para um garçom. — Fugindo das debutantes que estão de olho no seu novo título?

— Estou ansioso pelo presente que o Natal pode trazer a um nobre solteiro — Michael pediu conhaque, assim como o conde, enquanto os outros erguiam seus copos ainda cheios.

— Melhor para você do que para mim — comentou Westfield, o único outro solteiro convicto à mesa.

Após um brinde coletivo, Michael estudou Regmont e imaginou por que ele festejava com amigos em vez de desfrutar da companhia da sedutora esposa. Tinha sido penoso constatar a infelicidade de Hester. Se ela fosse sua esposa, não pensaria em mais nada na vida senão em agradá-la. Então ele reparou que os nós dos dedos do conde, ao erguer o copo, estavam vemelhos, arranhados.

— Utilizou algemas ultimamente, Regmont? — perguntou-lhe sem papas na língua.

Pelo que sabia, o conde era benquisto pelos amigos e louvado pelas mulheres, em virtude da aparência charmosa e do sorriso fácil. Mas gostar dele era algo difícil para Michael, e não por questões afetivas. O marido de Hester parecia impulsivo demais, capaz de agredir alguém por simples impaciência. Apesar de sociável, era uma pessoa vazia. Carecia de certa substância humana, do brilho da inteligência, do calor da emoção. Talvez por isso mesmo tivesse se interessado por Hester, quase uma adolescente, desprovida, portanto, de qualquer malícia ou de maior preparo no contato com o gênero masculino. Ela continuava ingênua e nunca sairia da mente de Michael. Teria o lorde ferido os dedos ao ousar desferir um soco no rosto angelical da esposa?

— Pugilismo — replicou Regmont depois de um bom tempo. — Esporte completo e excelente, tanto que vou pedir a Lucien que abra um curso aqui no clube, revezando com o de esgrima. Ele já patrocinou algumas aulas experimentais.

— E você veio praticar...

— Sim, e se você quiser se juntar ao grupo, basta avisar.

— Vou pensar — disse Michael, avaliando a possibilidade de disputar Hester em um campeonato a dois, mesmo que só ele tivesse conhecimento de tal motivação. Pelo que indicavam os machucados de Regmont, ele preferia lutar sem luvas protetoras, o que servia perfeitamente aos propósitos de Michael. — Se for o caso, marcarei dia e hora.

— Ah, teremos que comparecer com o livro de apostas — interveio lorde Spencer, ganhando a atenção de todos.

Regmont sorriu.

— Sedento por uma briga, Tarley? Já passei por isso. Terei prazer em enfrentá-lo.

Michael mediu o conde com os olhos. Era mais baixo e mais magro e, apesar da roupa justa, não exibia uma musculatura digna de nota. A vantagem seria dele, Michael, tanto em termos de porte físico quanto de envergadura.

— De qualquer modo, prefiro um confronto diurno — alertou Tarley. — Estaremos mais descansados e isentos da influência do álcool.

Forçando a situação, um dos convivas trouxe à mesa o livro de apostas.

— Boa iniciativa — Regmont elogiou. Cerrou os punhos e assumiu uma expressão agressiva. — Que tal uma semana a partir de hoje, às três da tarde? Reservarei a sala para nós.

— Perfeito — Michael concordou, e um sorriso de antecipação surgiu-lhe nos lábios. Ele pegou o livro e, cheio de confiança, registrou uma aposta em dinheiro em nome de Alistair Caulfield. Era uma ideia que, sem a menor sombra de dúvida, seu amigo iria apreciar e, caso fosse possível, estaria na arena para torcer por ele.

7.

SEM VONTADE DE IR PARA CASA, MICHAEL PASSEOU a pé pela noite londrina, detendo-se na saída de mais de um teatro a fim de observar as pessoas. Pareciam felizes, ao contrário dele. Com a vida resolvida, por certo aqueles homens e mulheres estavam aptos a usufruir tudo o que a existência humana tinha de desfrutável. Já Michael vivia um profundo dilema: se machucasse Regmont no duelo de pugilismo, talvez sua amada Hester nunca mais olhasse para ele. A despeito do convívio atribulado, em que sofria eventuais agressões verbais e até mesmo físicas, ela teria o comportamento normal de uma esposa: apoiaria o marido. Mas se Michael saísse ferido do confronto, ela não poderia, pelas regras sociais, demonstrar seu pesar.

Talvez fosse o caso de suspender a luta, mas isso traria prejuízos para a boa imagem do jovem Tarley. Porém, ele não sentia rancor de Hester, que ingenuamente se deixara levar pelas intenções da irmã quanto ao bom entendimento entre ela e Regmont, que culminava em uma rápida união conjugal pouco depois do casamento de lorde Benedict e Jess. Michael também não podia ter raiva da cunhada, que, na época, desconhecia os sentimentos dele em relação à irmã mais nova dela, daí preocupar-se com o futuro de Hester e eleger um solteirão cobiçado na alta sociedade como o noivo ideal. Solidão e abandono tinham sido o castigo de Michael por sua inércia e excessiva reserva. Ele precisava mudar o comportamento se quisesse alimentar a esperança de um dia unir-se a Hester. Para piorar, agora enfrentava a questão de uma luta de socos com o marido dela. *Só o tempo dirá*, refletiu ele, rebatendo a sombra da depressão.

No encontro seguinte, Alistair permaneceu intrigado com a mulher deitada debaixo dele. Quente, atrevida, ela destoava da viúva reservada e fria que costumava seguir com o olhar. Se era efeito do vinho ou de verdadeira paixão, não importava. O fato era que se sentia extremamente grato. Caso Jess continuasse a retorcer-se contra o corpo dele, não poderia furtar-se a satisfazê-la, algo que preferiria fazer quando ela estivesse totalmente sóbria, na posse completa de suas faculdades mentais.

— Vá em frente — propôs, provocando Jessica, que o testou com outro sedutor meneio dos quadris.

— E o que sugere? — perguntou ela. — Você é capaz de me esgotar.

— Pode começar por tirar minha roupa. — Alistair suspeitou que, uma vez prontos para a conjunção carnal, era Jess quem o esgotaria com sua fúria erótica. Mas nada viu de negativo nisso: seu apetite sexual não o desapontaria. Assim como também não passaria vergonha tendo em vista o volume rígido de seu membro sob as calças.

— Humm… — murmurou ela, beijando o tórax desnudo de Alistair enquanto ele lhe acariciava a nuca, inebriando-a por completo. Era delicioso pensar que Jess obtinha tanto prazer em despi-lo. Ele refletiu que não haveria lugar melhor para um par de amantes sedentos do que a Jamaica, onde o calor e a umidade recomendavam o uso de pouca roupa.

Após tirar a última peça de roupa de Alistair, Jess proporcionou-lhe uma demorada carícia com os lábios, parando apenas para admirar o falo do amante, que parecia fasciná-la. Quando sentiu uma primeira gota aflorar na ponta do pênis, ele afastou de si o rosto dela. Ainda restava bastante tempo a ser desfrutado. Como ocupá-lo bem?

Alistair envolveu os pulsos de Jess com sua gravata e prendeu-os à cabeceira da cama.

— Não sei se vou gostar disso — disse ela, esboçando um protesto inútil.

— Pois experimente. Sabia que muita gente usa algemas ou cordas?

Jess esquivou-se de responder. Acreditou na vasta experiência sexual do amante, enquanto ela tinha se mantido fiel a um único homem: seu marido. A ideia plantou-lhe na mente certa tristeza pela devassidão de Alistair, porém, estava resolvida a tirar proveito dela. Livre do toque da parceira, ele a beijou com ardor. Depois agarrou-lhe os seios e roçou a boca nos incríveis mamilos de Jess, extremamente duros. Em seguida, ergueu os joelhos dela e observou-lhe a genitália. Afastou os rosados lábios femininos com os dedos e sugou-a sem pressa, até ouvi-la emitir um gemido profundo. Então penetrou-a com vontade, determinado a satisfazê-la como nunca antes. O clímax, porém, veio depressa, e Caulfield reposiciou-se a fim de tocar com a glande a região anal dela. Não forçou o ato, surpreso com o espasmo que então sacudiu Jess. Por ora, bastava-lhe ter descoberto uma nova zona erógena sujeita a futura exploração.

Em sua movimentação prazerosa, Jess conseguiu soltar as mãos e imediatamente arqueou-se no leito. Tinha apreciado a experiência, exceto pela relativa submissão às vontades do homem.

— O que você fez? — gritou ela, arregalando os olhos cinzentos com um misto de excitação e cautela.

— Fiz você ficar quieta. Devia saber como ajo com relação a desafios.

Por necessidade, ele havia aperfeiçoado a arte de satisfazer uma mulher. Aprendera, porém, a deixar certa margem de manobra, para que a eventual amante não perdesse o interesse por ele. Assim, nem sempre apaziguava o próprio desejo carnal. No caso de Jess, isso tinha acontecido. Ao mesmo tempo, Alistair mostrara que ainda não estava devastado por aquele amor, embora almejasse isso no fundo de seu ser. Jess era perfeita para ele, de corpo e alma, nua ou vestida. Mas carecia de maior paz interior a fim de dedicar-se a ela. Tinha problemas familiares, como a antiga rejeição do pai e o controle excessivo da mãe. Precisava superá-los para nunca temer uma repulsa de Jess por causa de seu passado.

Alistair voltou a atenção aos lindos seios da parceira. Combinavam com a esbelta estrutura física de Jess, enfatizando a curva delicada da cintura e equilibrando-se com o volume lascivo das nádegas. Ele sempre cultivara, na imaginação, a visão e a posse daquele conjunto impecável de atributos. Haveria de honrá-los para não perdê-los. Nunca seria indiferente ao tesouro que tinha encontrado. Daria o melhor de si durante a estada na ilha. Se Jess então o deixasse, queria estar certo de ter desfrutado o máximo dela. De modo algum suportaria um novo e maldito período de desejo ardente, mas frustrado.

— Alistair... — murmurou Jessica em tom afetuoso. — Quero tocá-lo de novo.

A repetição do ato tendia a tornar-se hábito entre dois corpos tão ávidos. Mas ele, indeciso, não sabia por onde recomeçar. Ainda bem que Jess parecia disposta a tomar a iniciativa. Alistair então escorregou para cima dela, posicionando-se sobre o ventre liso, e de novo maravilhou-se com a visão dos seios firmes. Combinada com a doçura de Jess e o toque dos dedos dela, a exibição do seu corpo influenciou-o na retomada da ereção plena. Mais seguro, Alistair moveu-se a fim de dar aos lábios dela acesso à sua virilha. Quando recebeu lambidas no alvo principal, sentiu-se gratificado. Jess vinha se tornando perita nesse tipo de carícia, embora o amante ignorasse que ela raramente adotava tal prática com o falecido marido. Por certo, via algo de especial nos contornos físicos do atual parceiro.

Pouco depois, ela se aquietou, então Caulfield envolveu-lhe o torso com os braços. As coxas dela roçaram nas dele, aumentando o desconforto da excitação mútua. Passando as mãos por baixo do corpo de Jess, ele a elevou o suficiente para que seu membro lhe alcançasse a vagina. Então arremeteu devagar contra ela, o que significava retardar ao máximo o novo orgasmo. Todavia, em questão de minutos, os dois vibraram em sintonia. Em momentos assim, ela era ultrassensível e reagia produzindo ruídos com os quais Alistair teria de se acostumar.

Relaxado e satisfeito, ele refletiu que o corpo de Jess respondia bem às suas investidas. Por mais que mostrasse discrição em público, na cama ela não se furtava a vocalizar o próprio prazer. Alistair sabia que ela devia estar quente e úmida entre as pernas, e quis conferir isso com os próprios dedos, introduzindo dois deles na intimidade da amante. Os gemidos que se seguiram o levaram a ansiar por uma evidência do desejo sensual. Precisava sentir o gosto da felicidade e ver Jess estremecer sob seus lábios. Ela ofegava de maneira sedutora, mas os ruídos se transformaram em risos quando ele, provocante, roçou-lhe o umbigo. O ventre vibrava a ponto de deslocar os pequenos cachos claros que lhe revestiam o sexo. O riso vinha da mulher fogosa existente dentro dela, não da dama altiva que se tornara um símbolo da aristocracia. Jess passou a suplicar pelo fim da relação, já convertida em tormento. Alistair possuía vários meios de atendê-la: começou por aplicar um beijo úmido no centro de prazer da parceira. Depois abriu passagem para a língua e, distendendo o feixe de nervos ali presente, utilizou a superfície plana dela a fim de abrasar Jess em definitivo. Os primeiros tremores do novo clímax se manifestaram nela, que quase o machucou com a pressão dos dedos em suas costas. O grito que ela soltou por fim mostrou toda a satisfação de um corpo por tanto tempo negligenciado. E a cabeça pousada no ombro de Alistair, próxima do bíceps musculoso, revelou o fim do frenesi. Ele ficou imóvel, a não ser pelos afagos que fazia nos cabelos de Jess.

Foram instantes de inesperada paz e tranquilidade interior. A atração física dava lugar a uma rara quietude espiritual, que pairava acima do deleite passageiro. Alistair compreendeu enfim que Jessica era seu real esteio na vida, sua definitiva redenção de um passado indecoroso. Prazerosamente, alimentaria mais momentos tão sublimes quanto aquele.

8.

JESSICA ACORDOU INDISPOSTA, COM UMA PROVÁVEL enxaqueca. Sequer se lembrara de se alimentar nas horas anteriores. Por isso, agora, tinha fome e sede. Então solicitou a Beth que lhe pedisse um café da manhã reforçado. Ao usar o banheiro, contemplou-se ao espelho e, por um segundo, censurou-se pelo exibicionismo e volúpia demonstrados na cena de amor com Alistair. Entretanto, por sentir-se realizada como mulher, deixou o mau pensamento esvair-se no ar.

A dor de cabeça insistente e o gosto amargo na boca a desanimaram, mas tinha consciência da comichão entre as pernas. Como pudera ser tão exigente na cama? E inflamar-se tanto pelas carícias do parceiro a ponto de vê-lo partir dali com alívio?

Sabia a resposta... Alistair Caulfield sempre produziria aquele efeito nela, tornando-a irreconhecível a não ser como uma fêmea no cio. Talvez isso não fosse socialmente adequado, pois havia experimentado agora, mesmo que por um minuto, um misto de conflito, embaraço e culpa. Pessoas simples como Beth vivenciavam aventuras amorosas sem o menor constrangimento nem preocupação com boatos.

A criada trouxe-lhe uma bacia com água quente e ofereceu-lhe um biscoito para quebrar o jejum. Jess não havia retornado ao salão de jantar desde o assédio que sofrera de Alistair na torre de comando. Proibira-se de vê-lo até ele aparecer, sem convite, em sua cabine. Talvez tivesse sido melhor assim, adiar o que parecia inevitável, por mais que isso doesse em seu íntimo. Se naquela ocasião Jess atendesse ao desejo de Alistair, ficaria totalmente indefesa diante dos instintos que ele lhe despertava. O que menos queria era mostrar-se submissa.

Após a refeição, Jess decidiu subir ao convés para respirar ar fresco.

— Lady Tarley, permite-me acompanhá-la no passeio? — A voz de Alistair soou forte atrás dela. Nervosa, Jess sorriu em sinal de aceitação.

— Só preciso buscar um xale. Estou com frio.

— Aqui está. — Mais que depressa, ele desabotoou o próprio casaco e o ajeitou nas costas dela.

Jess protestou, mas sem convicção:

— Um cavalheiro não deve mostrar-se em mangas de camisa!

A resposta veio em tom mordaz:

— Você é a única a bordo que repararia nisso. Sinto muito calor, desde ontem à noite.

O coração de Jess acusou a austeridade do semblante masculino. Os olhos azuis cintilantes e o queixo quadrado de Alistair a preveniam de que ele não seria facilmente detido em seus objetivos.

— Seria bom conversarmos outro dia — propôs ela.

— Há muitos detalhes a esclarecer. Quanto antes, melhor.

Apesar de sua desconfiança, Jess o obrigava a agir com energia. O casaco nos ombros dela não transmitia apenas calor, mas também o odor especial daquele homem. Alistair esbanjava virilidade, e os atos eróticos da véspera inundaram a mente de Jessica.

Ambos caminharam lado a lado pelo convés, onde algumas tábuas estavam danificadas por conta do bombardeio dos piratas. Caulfield sinalizou a dois marujos que trabalhavam no reparo das pranchas para que se afastassem. Continuava bonito, à luz do crepúsculo. Como uma estátua de herói, Alistair enchia de vitalidade o ar em torno. Ele estava vivo de uma maneira que Jessica nunca havia experimentado, até poucas horas antes.

— Não sei fazer isso — desafiou ele.

— Fazer o quê?

— Driblar a verdade, fingir que as coisas não são como são, usar a formalidade como escudo.

— Certa formalidade é indispensável na vida social — pontuou Jess suavemente. — Cria padrões que permitem a duas pessoas diferentes, mas que têm o mesmo objetivo, passar bons momentos juntas.

— Não tenho interesse em me relacionar com estranhas. Por que você ficou lá?

— Não entendi.

— Esqueça a timidez. Por que se escondeu no arbusto defronte ao coreto naquela noite?

Jess virou para cima as lapelas do casaco, cobrindo o pescoço, e cruzou os braços como quem se protege. Apesar de não sentir mais frio, continuava se achando exposta demais.

— Você me forçou a ficar. Não por palavras, mas por seu corpo, por suas ações...

— Ah, e você obedece a todos os meus comandos? — Os lábios dele exibiam uma expressão cruel.

— Claro que não!

— Mas por que justamente naquele episódio? Você era inocente. Deveria ter ficado horrorizada, corrido para longe.

— O que espera que eu diga? — No fundo, Jess se rejubilava pela coragem então demonstrada.

Alistair aproximou-se, tomou-a pelos braços e ergueu-a na ponta dos pés, mantendo o olhar desafiador.

— E pensou naquela noite desde então? Reviveu a cena quando se deitava com Tarley? A lembrança a atormentou?

Jess assustou-se com a aguda percepção de seu íntimo que o homem alcançava com aquele questionamento.

— Por que julga isso importante?

Caulfield a colocou novamente no chão, pondo fim à brincadeira. Mas envolveu a nuca de Jessica com as mãos em concha enquanto encarava diretamente os lábios tentadores dela ao falar:

— Eu me lembro de cada segundo que a observei. O brilho dos seus olhos no escuro. O peito ofegante, que subia e descia sem cessar. Sua mão cobrindo a boca, abafando suspiros.

— Havia testemunhas perto de nós — contrapôs Jess, trêmula de medo e de excitação. Ela reagia com polidez ao tratamento pesado que Alistair lhe impunha, e isso a preocupou. Parte de sua mente devia ter sido treinada para buscar e admitir tal tipo de atenção.

— Não levo isso em conta.

Tangida pela confusão, ela endureceu a fala:

— Sua brutalidade pode ser agradável para certas mulheres, mas lhe asseguro que para mim não é.

Caulfield deixou as mãos caírem ao lado do corpo.

— Querida, é suficiente para você, reconheça. Parece tão esfaimada por mim agora quanto sete anos atrás, naquele bosque.

Jess franziu a testa, tornando sombrias suas feições. Pensou ouvir do homem um breve praguejar, mas depois ele se expressou com clareza:

— Tentei esquecer aquela noite, mas é impossível.

Desviando os olhos dele, Jessica concentrou-se na paisagem e recebeu uma brisa úmida na face.

— Por que essa lembrança o incomoda tanto? Você contou com minha discrição.

— Pela qual sou eternamente grato. — Alistair enfiou as mãos inquietas nos bolsos da calça. — Mas me evitou por todos os dias seguintes. Por quê, se afirma que o flagrante não a abalou?

— É que decobri algo sobre você que não deveria saber, e isso me deixou desconfortável.

— *Eu* causei o desconforto — corrigiu ele. — Até agora.

Conscientemente ou não, Jess teve a sensação de que era caçada por todos os lados. Temia o desejo constante e turbulento de Alistair. Talvez receasse mais o próprio apetite sexual por aquele homem que, tempos atrás, havia aceitado dinheiro das mulheres que satisfazia. Então sentiu os dedos dele roçando-lhe insistentemente o pulso.

— Quanto mais tenta se distanciar de mim, mais determinado eu fico a conquistá-la. Temos algo em comum, algo que só existe entre nós. Devemos nos tornar mais acessíveis um ao outro, e não menos.

— Não acha que estou acessível neste momento, engajada em uma conversa sincera?

— Tão acessível como estava ontem, apesar do excesso de vinho. Cruzamos a barreira que nos separou há sete anos e não existe caminho de volta. O destino nos reuniu.

A possibilidade de os dois estarem fadados a se tornar amantes não deixava de ser reconfortante. Jess tirava das mãos a responsabilidade pelas consequências inevitáveis. Ela inspirou e apressou-se a dizer

— Desculpe-me por alguma coisa que fiz ou falei ontem à noite antes de você ir embora. Queria que ficasse…

— Já me corrompi por dinheiro — interrompeu ele asperamente. — É preciso que você saiba por quê.

Depois de dizer isso, Alistair sentiu um profundo alívio. Expor-se assim lhe trazia tensão, algo que evitava a todo custo, mas era hora de reabilitar-se perante Jess. Ela ajeitou uma mecha de cabelo que insistia em cair-lhe no rosto. Aconchegou o casaco masculino ao seu corpo, em sinal de ansiedade. Havia perdido um marido que prezava muito, porém Alistair a pressionara a ignorar esse fato em nome do próprio egoísmo e da atração física que sentia por ela. Mesmo naquele momento, à beira da amurada, ele parecia desnudá-la com o olhar e com as linhas acentuadas de seus lábios voluptuosos. Talvez debochasse do luto que Jess adotara por Tarley. De qualquer modo, ressentia-se da intimidade entre ela e um homem com cuja conduta reta e alto caráter ele jamais poderia competir.

— Sim, explique-se — murmurou ela. — Gostaria de compreender.

— Para começar, por insistência de minha mãe, meu pai, o duque de Masterson, me doou um lote de terra na Jamaica. Impressionante pelo tamanho, mas também por ser improdutivo. Não existiam escravos, máquinas ou instalações agrícolas. O duque, meu pai, ainda me deu um barco cargueiro, e então me transformei em grande proprietário, porém sem capital para investir nem fundos para sobreviver com algum trabalho honesto.

Jess exalou o ar audivelmente.

— Posso imaginar sua luta pela subsistência, mas...

— Você nunca terá esse problema — Alistair atalhou. — Meus flertes com senhoras casadas me levaram a ingressar na atividade de rufião, pois elas faziam questão de me dar dinheiro em troca de prazer. Sei que você vê a vida sob o prisma da moral e dos bons costumes, mas às vezes a necessidade fala mais alto. No momento certo, decidi passar anos fora de Londres e trabalhar duro a fim de tornar lucrativa a plantação de cana na fronteira de Calypso. Depois veio a compra de navios, que precisei reformar, e eis-me de volta. Comecei a prosperar bem na hora em que me senti ameaçado de morte por algum marido ciumento. Descobri que tinha outros talentos além de ser atraente para as mulheres.

— Incrivelmente atraente — concordou Jessica. — Porém, na época, você era muito jovem e talvez...

— Sim, talvez me faltassem ideais e objetivos sérios. Por sorte, compreendi que a juventude é passageira e que o trabalho enobrece.

Ao dizer isso, Alistair demonstrou certo orgulho e uma dose de desafio.

— Fiquei surpreso com a primeira oferta de pagamento, mas acabei gostando do jogo. Levei tudo na conta de uma brincadeira perigosa, mas aprendi a conhecer os desejos femininos. Dar prazer é uma arte, similar a qualquer outra aptidão.

— Deve ter sido um bom aluno, então — completou Jess.

— As mulheres falam demais — justificou-se ele —, sobretudo dos detalhes que lhes trazem satisfação. É assim que os homens aprendem a usar seus dotes físicos, independentemente de todo o contexto.

— Sou uma idiota — acrescentou Jess de forma sombria. — Nunca me ocorreu que você pudesse não apreciar as práticas íntimas. Afinal, lady Trent é bonita.

— Algumas eram, de fato. No entanto, quando você *vende* algo, já não lhe pertence. Tornei-me um homem-objeto para elas, sem poder recusar nada. Claro que deixei em segundo plano meu próprio prazer.

— E quanto aos seus familiares? Eles sabiam da sua vida devassa? Reagiram?

— Meu orgulho foi insuficiente para recusar as terras e o navio que ganhei. Mas, em compensação, nunca mais pedi nada ao duque de Masterson.

Alistair aguardou que Jess indagasse por que ele dispensara a assistência do próprio pai, a quem geralmente se referia pelo título de nobreza, não pelo nome. Ela já devia suspeitar que não se dessem bem, mas, de qualquer maneira, agora conhecia mais de seu passado sórdido do que qualquer outra pessoa. Dividi-lo com Jessica, a única mulher que o tocava no fundo da alma, tinha sido torturante. Caulfield queria ser aceito e desejado, embora ainda se julgasse abaixo do tipo de homem a que ela aspirava.

— Você fez o que precisava ser feito — disse Jess com uma convicção que o surpreendeu. Era difícil crer que havia absorvido com facilidade suas declarações. — Entendo que sobreviver estava em primeiro lugar.

Ele deu um passo à frente, incapaz de aceitar a mínima distância entre os dois.

— Ainda se deitaria comigo? Meu toque iria sujá-la? Também lhe daria o prazer de ver-se adorada. Não quero nada tanto quanto quero você.

— Eu o aceito, Alistair — disse Jess, respirando fundo. — Mas o resto...

— Prossiga — ordenou ele, ansioso.

— Não me considero melhor do que as outras com quem esteve — continou ela, arregalando os olhos grandes e cinzentos enquanto sua fisionomia adorável lhe traía o tormento interior. — Mas gostaria de ter o direito de comandar seus atos lascivos como fazia lady Trent. Não por razões de segurança, mas porque fazer isso me excita.

Um fluxo de sangue enrijeceu-lhe o membro viril de tal modo que Alistair teve de reposicionar as pernas. Era a honestidade dela que o deixava assim, agitado.

— Jessica — sussurrou ele.

Movendo-se rapidamente, ela o rodeou e apertou o corrimão da amurada. Ele a seguiu, envolveu-lhe a cintura com as mãos e notou o corpo feminino vibrante de tensão. Depois baixou a cabeça e encostou os lábios na têmpora direita de Jessica. De algum modo, precisava provar-lhe que ela despertava nele sentimentos adormecidos.

— Nunca sonhou em ficar submissa, qualquer que seja a posição, enquanto eu cuido de excitá-la até pedir água?

— Não! — respondeu Jess, praticamente berrando. — Gosto de vê-lo com vontade de mim, mas você me sufoca. Preciso de certo controle.

— Acha que tenho algum? Não existe previsão nem certeza naquilo que fazemos juntos. Você deve entender nossa atração como indomável, mesmo com eventuais falhas no ritmo e desacertos.

— Não sei se consigo.

— Pelo menos tente.

Movendo um pouco a cabeça, ela o contemplou. — Perdoe-me pela insistência de ontem. Apenas ansiava para que ficasse a noite toda comigo.

— Jamais se desculpe por me desejar, mas deixe-me ser claro: procurei você sem pretensões exageradas. Mas nunca poderá ter Lucius, pois esse personagem já não existe mais. Aliás, nunca existiu para você.

No passado, Alistair usara o segundo nome a fim de proteger a identidade. Na verdade, o fizera como meio de autopreservação e de guardar distância da degradação representada ao aceitar dinheiro das mulheres. Se muitas o haviam elegido pela beleza e ardor, outras o tinham desejado como fonte de algum prazer inconfessável, como um amante que lhes preenchesse as fantasias sexuais sem risco de zombaria. Assim, pagando-o por isso, elas se sentiam menos depravadas.

Jess meneou a cabeça em sinal de compreensão. Alistair encostou a testa na dela, infeliz com o pensamento de que talvez não pudesse dar o que ela sonhava.

— Naquela noite, éramos somente você e eu. Lucius servia a lady Trent. Eu estava ao seu lado no arbusto.

Então Jess soltou um suspiro profundo.

— Deus! Eu não queria Lucius até vê-lo ser pago. Depois que você me tocou... Sinto muito.

Os olhos de Jessica denotavam tristeza e remorso. Talvez um pouco de autopiedade também, pelo desejo experimentado na ocasião.

— Eu lhe darei tudo por que anseia. E de graça. Basta pedir. — Ele a agarrou pelos quadris. — Conte-me os detalhes daquilo que fantasiou.

— Não! — gritou Jess com tal horror que fez Alistair sorrir. — É indecente.

Ele afagou com a língua uma orelha dela.

— Pode confiar. Eu confiei em você quanto a manter segredo sobre o que viu.

— E eu não falhei.

— O que significou muito para mim. Permita-me retribuir. Diga-me o que deseja.

— Este não é o lugar certo — ponderou Jess, percorrendo o convés com o olhar, em busca de alguma testemunha oculta. — Não há privacidade aqui.

— Posso procurá-la esta noite? — Caulfield esperou a resposta, que não veio. Sentiu-se ansioso, inseguro, receando ter ido longe demais, cedo demais. — Bem, minha cabine é a terceira à esquerda de quem entra no corredor. Venha.

Jess o encarou com os olhos bem abertos.

— Não sei se consigo.

Alistair esboçou outro sorriso. Talvez não, mas isso era duvidoso, e a antecipação do encontro serviu-lhe de recompensa.

9.

COMO EM TODAS AS MANHÃS DURANTE OS últimos quinze dias, Hester acordou decidida a enfrentar seus problemas, sobretudo os conjugais. O enjoo e o mal-estar, porém, a paralisaram mais uma vez. Sua criada e confidente, Sarah, entrou no quarto trazendo uma bandeja com chá e torradas. A jovem irmã de Jess rolou na cama e agradeceu.

— Milady — disse Sarah —, talvez se contar a lorde Regmont que está grávida, ele se comporte com mais gentileza.

Hester encarou-a com olhos lacrimosos.

— É segredo absoluto — alertou ela.

— Até que me dê licença, milady, não direi nada a ninguém — rebateu Sarah, passando à patroa uma toalha de rosto para que enxugasse a testa suada e os olhos úmidos.

Nos primeiros anos de casamento, não havia nada que Hester desejasse mais do que um filho, a fim de completar a felicidade que então vivia ao lado de Edward Regmont. Mas Deus, ou a natureza, não tinham atendido às suas preces. Assim, depois que os aspectos negativos do caráter do lorde vieram à tona, ela passou a recorrer a uma ducha manual de lavagem íntima para evitar a concepção. Não queria trazer um inocente ao mundo por conta do lamentável relacionamento que mantinha com o esposo. Depois do que ela e Jessica haviam passado na infância, resolvera abster-se de sujeitar uma criança a um clima doméstico de permanente hostilidade. No entanto, Regmont não sabia controlar sua luxúria nem ver seus desejos contrariados.

— Gostaria que estivesse aqui comigo, Jess — murmurou Hester —, para me aconselhar.

Ela tinha suspeitado da gravidez antes de a irmã partir, mas agora não tinha cabimento preocupá-la com a novidade. Além disso, como deplorar abertamente um fato que traria imensa alegria a Jess?

Quando Hester reclinou-se contra a cabeceira da cama a fim de tomar o desjejum, Sarah ajeitou e afofou os travesseiros que apoiavam as costas da patroa. — Rezo para que decida contar logo a notícia a lorde Regmont — sussurrou a criada. No quarto onde dormia sozinho, ele se alheava de tudo.

— Creio que parte das aflições dele seja causada por mim, mas não sei como lidar com isso — sussurrou Hester. Pouco depois, todavia, ao ver o marido à mesa da sala a alimentar-se, ele não parecia nem um pouco aflito. Ao contrário, estava elegante e sorridente. Recebeu-a com um beijo na face e ofereceu-lhe pão e ovos.

— Obrigada, já comi torradas no meu quarto.

— Você tem se alimentado mal — observou ele. — Passou bem a noite?

— Normal. — Nem tanto, pois ele havia chegado muito tarde e desistira de procurá-la para fazer amor. O que foi um alívio, pois Edward vivia na ilusão de que era um excelente marido, e ela, uma esposa satisfeita. Talvez não fosse malvado nem tirânico, apenas ingênuo e vaidoso.

Hester desviou o olhar para as paredes da sala. Muitos visitantes elogiavam as cores claras, escolhidas por ela, bem como as listras verticais azuis que quebravam a monotonia. Regmont tinha comprado a casa na cidade pouco antes do casamento, com a aprovação da noiva e a condição de que poderia reformá-la. A residência se transformaria em um lugar isento de resquícios do passado. Ultimamente, porém, Hester reconhecia que fora fútil e esperançosa demais. Os vestígios negativos estavam neles... *dentro* deles, e ambos os carregariam para qualquer lugar em que morassem.

— Tomei um drinque com Tarley ontem à noite — disse Regmont entre goles de café. — Ele aparentava estar fugindo de suas numerosas pretendentes. Nisso você me ajudou muito, querida. Quero cooperar com Tarley oferecendo-lhe um alívio na tensão. Ele soube do meu interesse por pugilismo e marcamos uma luta.

— Como? — Hester sentiu o estômago contrair-se.

— É verdade. Você me salvou de maus casamentos e agora Tarley merece alguma assistência. Sabe se ele é bom de briga? — Regmont não tolerava perder.

— Bem, quando jovem ele lutava com Alistair Caulfield com as mãos nuas. É só o que sei, pois nunca fomos muito próximos — mentiu ela. — Eles geralmente empatavam.

— Acordo de cavalheiros, por certo. Mas logo ele irá enfrentar um adversário bem preparado. Você teme por ele?

— Jessica tem Tarley em alta conta — opinou Hester, forçando a situação.

— Muitos têm, minha cara. Não precisa se preocupar.

Edward pediu geleia ao copeiro para reforçar o desjejum da esposa, que se resignou a comer. Melhor isso do que provocar uma discussão séria com o marido.

De crescente mau humor, Hester imaginou que, se seu querido Michael tinha problemas para escolher uma noiva fora da roda habitual de matronas, ela poderia lhe ser muito mais útil do que Edward Regmont e sua secreta sede de violência. Faria bem ao seu coração ver o amigo contente; ele certamente merecia ser feliz.

Regmont pousou os talheres no prato.

— Apreciaria muito passear com você no parque esta tarde. Diga-me que não tem outros compromissos.

— Se tivesse, Hester teria de cancelá-los. Quando Edward desejava algo, tinha de ser atendido. Afinal, ela era esposa dele e fizera o juramento de acompanhá-lo até o fim dos dias.

— É uma boa ideia, milorde — disse com um falso sorriso. — Obrigada. — Talvez ao ar livre surgisse o instante propício para revelar-lhe que estava grávida. Ela alimentava a esperança de que isso representasse um milagroso recomeço de sua união conjugal.

Pouco antes da uma da tarde, Miller bateu na porta da cabine de Jessica, informando-lhe que Alistair Caulfield a aguardava no convés. Nervosa e cheia de incertezas, Jess acompanhou o mensageiro. Sua última discussão com aquele homem, sob o luar, tinha sido repleta de tensão. O convite para visitá-lo na cabine dele lhe assombrara a mente por longos minutos; não era uma proposta que ela pudesse avaliar racionalmente. Parte considerável de seu ser, dominada pelos instintos, pressionava para que perdoasse Alistair e se submetesse aos caprichos eróticos dele.

Teria Caulfield mais alguma coisa condenável a confessar? Reservava-lhe ele atos de intimidade que nem se atrevia a fantasiar? Preocupava Jess o fato de ele dominá-la fisicamente e então capturar seus princípios e faculdades mentais. Duvidava que não o conseguisse se de fato desejasse, afinal, ele não era homem de perder oportunidades na vida.

Quando chegou à popa, Jess sentiu a brisa salgada revigorar-lhe os sentidos. Alistair havia estendido uma toalha grossa no convés. Estava presa nos quatro cantos por balas de canhão, coberta por vários travesseiros, e, no meio dela, repousava um cesto repleto de comidas e bebidas.

Um piquenique! No mar!

Alistair a esperava elegantemente vestido: calças bufantes, sapatos bem engraxados e paletó marrom. Seus cabelos ao vento lembravam a forma que adquiriam depois que Jess deslizava os dedos pelos fios negros. Como qualquer mulher, ela foi atingida primeiro pela beleza máscula e sedutora. Beleza perigosa, mas também anunciadora de prazeres indescritíveis.

A vontade inicial de Jess consistia em desnudá-lo por inteiro e apreciar o impacto das formas poderosas daquele homem sem o empecilho das roupas. Era difícil resistir a tal pensamento quando identificava no olhar de Alistair igual determinação.

Como a pouca distância havia gente trabalhando no convés, o momento era mais do que impróprio. Assim, Jess teve de pôr de lado essa fantasia. Sentou-se na toalha junto com Alistair e deu início ao piquenique, remexendo no conteúdo do cesto. Ao ajudá-la, Caulfield tocou-lhe a mão sutilmente antes de desembrulhar um farto sanduíche de queijo e oferecer-lhe também uma pera. Ele cuidara para que houvesse variedade de opções. Jess sorriu em sinal de agradecimento.

— Alguns poderão considerar um piquenique no convés uma forma de fazer a corte. A ideia é um tanto maluca, mas romântica... — disse Jess em tom provocante.

— Meu objetivo é agradar você — retrucou Alistair, e um sorriso malicioso iluminou-lhe a face. Ele conhecia a arte de encantar uma mulher, o que convertia em risco o simples fato de estar perto dele.

Jess acanhou-se, sem saber o que falar. Precisava acalmar os nervos antes que eles fervessem. Alistair mordeu um pedaço de pão, mas os movimentos de sua boca se mostraram incomuns, como se ele estivesse acariciando o alimento. No entanto, não parecia fazer isso de propósito, o que levou Jessica a crer que aquela sensualidade era totalmente inata a ele. Observando o mar, ela tomou consciência dos reflexos do sol na água e da brisa que a agitava. O dia estava um tanto frio, porém agradável. A ansiedade que experimentara antes diante de Alistair havia se transformado em outro tipo de consciência: a de estar viva e sensível.

Jess havia sido educada para manter certa distância entre si e os outros, espaço estabelecido pelo modo de falar ou de se portar, e esse comportamento tinha desencorajado a aproximação da maioria dos homens. Alistair, no entanto, via-se desafiado pelo modo de ser de Jess. Ele barraria qualquer tentativa da parte dela de deixar o local, o que a forçou a admitir que, de fato, não fugiria dali. Ao contrário, embarcou no senso de aventura que ele criava.

Ainda falavam alto as lembranças do que aquele homem havia feito com seu corpo. Ela tinha partilhado intimidades semelhantes com Tarley sem ficar envergonhada ou tímida ao encará-lo pela manhã, à mesa do desjejum. Já com Alistair, podia ruborizar-se de repente, em um delírio dos sentidos, o corpo acalorado e pronto para recebê-lo dentro de si. Os toques e carinhos dele pareciam mais intensos que os do marido. Como isso era possível?

— Dormiu bem? — perguntou Alistair, chamando a atenção sobre si.

Jessica confirmou com um meneio de cabeça.

— Então fomos dois — disse ele, deitando-se de lado e apoiando o rosto na palma de uma mão. Fixou nela o olhar azul, brilhante e eloquente. Tal posição o envelhecia, revelando uma escuridão na alma que não caberia em alguém tão jovem. — Diga-me: o que aconteceu no outro dia, quando fugiu da torre do leme? Corria do quê, ou de quem? De mim?

Sentada, Jess deu de ombros.

— Fiquei nervosa com tanto barulho e atividade no convés.

— A falta de audição no ouvido esquerdo contribuiu para tal sensação?

Ela ergueu as sobrancelhas, cismada. No íntimo, percebeu que Alistair sempre havia lhe murmurado palavras doces no ouvido certo.

— Você notou, então?

— Michael me falou do seu problema. — O olhar masculino era bondoso, complacente, mas ali estava um tópico que ela jamais discutiria com alguém, pois isso fatalmente a levaria a confessar outros segredos de que nenhuma pessoa suspeitava. Como sua esterilidade. — Bem, não estava fugindo de você — completou ela.

— Não?

— Tarley se foi há apenas um ano.

Um vinco na testa de Caulfield acusou o tom de zombaria quando disse:

— E você honrou-lhe a memória por meio da castidade? Por quanto tempo?

— Exatamente doze meses, até você me demover — foi a seca resposta de Jess.

— Sente vergonha de me desejar — constatou ele. — Isso não vai me deter.

Vergonha era o termo correto? Não era bem isso que ela sentia. Confusão mental seria uma expressão melhor. Aprendera a viver em um mundo particular, repleto de regras. Um caso amoroso com Alistair a arrastava para um novo e estranho destino. Portanto, Jessica desconhecia os passos a dar. Assim, preferia até passar-se por submissa às vontades dele, mas sem deixar de desfrutar seu quinhão de prazer.

— Uma ligação informal é dispensável — argumentou ela — quando se trata de usufruir do sexo. Certamente é possível, e mais respeitável, encontrar prazer no leito conjugal.

— Está sugerindo que nos casemos? — A voz de Alistair soou baixa e aguda.

— Não! — Foi a vez de Jess franzir o cenho, graças ao tom rude na sua voz. — Não quero me casar outra vez.

— Por que não? Você apreciou seu primeiro matrimônio — Alistair ajeitou o corpo e pegou uma pera do cesto.

— Tarley e eu tínhamos uma rara afinidade. Ele adivinhava do que eu precisava e eu sabia o que ele esperava de mim. Duvido que eu tenha tanta sorte assim de novo.

— Acho importante, ao menos, você cultivar expectativas.

Jess observou Alistair e, como sempre, concluiu que no olhar dele havia um desafio: comportar-se de maneira diferente dela.

— Quando as expectativas são preenchidas, existe harmonia — disse ela.

Alistair balançou a cabeça, avaliando o comentário de Jess.

— Para valorizar tanto a harmonia, uma pessoa tem que conhecer a desarmonia. É o seu caso?

— Podemos falar de outro assunto?

— De qualquer coisa que você queira — disse Caulfield após uma longa pausa.

Jessica mordiscou uma fatia de pão enquanto organizava as ideias. Por que Alistair imaginava ser capaz de enxergar dentro dela? Injusto mistério.

— Como pretende incrementar seus negócios? — Jess quis saber. — Você disse que seu pai lhe deu a plantação de cana e depois seu primeiro navio. Se persistir nesse caminho, estará fazendo o que Masterson desejou para você.

Alistair desviou o olhar para o horizonte.

— Nunca esperei receber nada do meu pai além de desamor e censura. Minha mãe influenciou a iniciativa e, de qualquer modo, fui trabalhar na Jamaica e no porto de Londres porque não tinha outra saída. Acima de tudo, precisava deixar de ser um peso para os outros.

Jess lembrou-se de ter dito a Hester algo semelhante no passado e se arrependido. Havia prejulgado Alistair assumindo que lhe faltavam ambição e tino para os negócios. Dispensara as atenções dele por causa de sua condição social inferior. E também por causa da admiração que Hester devotava ao rapaz. Assim como em relação a Michael, Jess se ressentia da sinceridade emocional da irmã, graças à qual ela chegava a invadir seu território.

— Alguns pais exprimem afeição de outras formas — comentou Jessica. — Os métodos podem deixar a desejar, mas a intenção é louvável. — Ela não acreditava que Alistair estivesse apto a reflexões tão sofisticadas, mas Jess também não dera crédito às ambições do próprio pai até admitir que isso tinha pouca influência em sua condição de mulher. Afinal, a vontade dela é que tinha prevalecido ao aceitar o visconde de Tarley como marido.

— Você parece conhecer bem a vida — rebateu ele. — Mas a perfeição, por assim dizer, ou não existe, ou não vem sem esforço.

— O afeto do duque de Masterson por sua mãe demonstra generosidade e merece minha apreciação.

— E onde estão os aspectos negativos dos nossos pais? — Caulfield se mostrava pouco convencido.

— Quando você revelar seus segredos, eu revelo os meus — disse Jess, enfrentando o sorriso devastador de Alistair.

— Você é misteriosa, Jessica. Acho melhor mantê-la intrigada comigo, do mesmo modo que você me intriga.

Mastigando pensativamente, Jess concluiu que o lado extraordinário que Alistair via nela era um fator de afirmação de sua personalidade e de paz na consciência. Ele praticava certa proteção e estrita tutela sobre seus atos. Qualquer desvio seria punido com a perda do interesse masculino, o que ela abominava. Mas aquele homem a induzia a refletir se estava ou não errada, se se parecia com outras mulheres que haviam exibido fascínio por Alistair Caulfield. Ter à disposição, na cama, um homem tão bonito, viril e sensual era, no fundo, um privilégio.

A imaginação de Jess trabalhou com essa ideia, inventando um passado digno de nota para o amante.

— Acho que posso lhe contar sobre meu período de cativeiro no palácio de um marajá... — propôs ela.

— Por favor, faça isso — pediu ele e, boquiaberto, aguardou o relato.

10.

O FASCÍNIO DE ALISTAIR POR JESSICA AUMENTAVA a cada dia, e ele receou que o piquenique vespertino no convés pudesse selar seu destino. O que a história obviamente fictícia do marajá revelava sobre ela? O mero fato de tê-la concebido comprovava que Jess era capaz de ser imaginativa, aventureira, jocosa...

Mas mostrava também que ela continuava ocultando muitas facetas. Alistair havia tido um lampejo desse outro lado. Acima de tudo, existia afinidade — aquele reconhecimento de uma possível alma gêmea que se retraía com o fim de sobreviver a uma realidade adversa. Jess se tornaria uma mulher completa, formidável, quando aceitasse e explorasse seus muitos encantos secretos.

Por isso mesmo, Alistair ansiava pelo dia em que poderia conhecê-la melhor.

— Eu estava viajando com uma caravana de beduínos que transportava sacos de sal no lombo de camelos. Fomos atacados por uma tribo rival

— foi assim que Jess começou seu fantasioso relato. Só o cenário — o deserto do Saara — já destoava dos hábitos de uma dama inglesa. E sua queda na depressão? O cativeiro? Um marajá? Ainda assim, Alistair tinha adorado a história.

— Ficou amarrada?

— Sim. Pelos pulsoss — A voz dela não demonstrava nenhuma emoção. — Depois de alguns dias, consegui fugir, aproveitando-me de uma tempestade de areia.

No íntimo, Caulfield conteve o riso. Apesar de ter confessado o desejo de dominá-lo em termos de sexo, ela aparentava ter vontade de ser dominada. Era um pensamento instigante para um homem.

— E o sheik, marajá, ou que nome tivesse, como era?

— Jovem, atraente, parecido com você — respondeu Jess, exibindo um sorriso misterioso enquanto ele ria.

— Detalhe delicioso — murmurou ele. Talvez Tarley, o impecável marido, fosse o herói imaginário que a resgatara de um estrangeiro lascivo.

Alistair desistiu de saber mais. Apenas acrescentou que, diante da beleza dela, qualquer chefe poderoso planejaria raptá-la e seduzi-la. Existia aí um paralelo com a atual situação dos dois.

— Então julga que é livre o exercício do poder masculino no mundo? — perguntou Jess, desafiando-o. — Um homem pode pegar o que desejar? E se eu me magoasse? Você é incorrigível, meu amigo.

Alistair deparou com o olhar de Jessica, que o perscrutava.

— Questão de paciência. Acho que ser persistente é uma virtude.

— Mas eu distraí o marajá contando histórias.

— Como Scherazade em *As Mil e uma Noites*? — Ele riu mais forte.

— Prendi-lhe o interesse e com isso evitei avanços inconvenientes.

— Com certeza. Parabéns.

Os lábios de Jessica tremeram diante do claro deboche.

— Gostaria de ser admirada por algo como criatividade ou simpatia, não pela aparência, que apenas herdei dos meus pais sem ser responsável por ela. Ainda espero mudar isso.

— Explique.

— Não tive a chance de escolher, na juventude, um estilo de comportamento. Fui moldada pela educação que tive. Nunca pude agir de forma diferente.

— Sempre temos escolha — redarguiu Alistair. — Fazer o que os outros querem que façamos ou fazer o que queremos.

Dois olhos enigmáticos o encararam.

— Isso depende das consequências — pontuou Jess. Quem sabe ela sonhava em combater o tédio bracejando contra águas tempestuosas, porém não permitiria que Alistair nadasse junto com ela.

Alistair pesou-lhe a atitude, as intenções. Só restava uma tática clara, persuasiva.

— Tenho um amigo em Eaton chamado Barton — começou ele —, que provavelmente é a pessoa mais inteligente que já conheci. Não é estudioso demais, mas bom observador e rápido no raciocínio. Todavia, quando o elogiava pela rara habilidade de viver bem, ele se apressava em me contestar. Faltava-lhe autoconfiança, e eu não entendia por quê. Algum tempo depois, conheci seus familiares e ficou óbvio que não o apreciavam, minando, assim, a autoestima de Barton. Todos pressionavam para que ele tirasse notas altas, o resto era desprezado.

— Lamentável.

— Mas há semelhanças entre vocês. Como Barton, você se esforça por me dissuadir da alta opinião que tenho a seu respeito. Só que não lhe falta confiança, nem você foi menosprezada por seus parentes. No seu caso, você não valoriza os traços que inspiram a admiração dos outros. Agora sugere que os adquiriu por meio de coação. Da parte de quem? De sua mãe? De competição com sua irmã?

O olhar de Jess encheu-se de exasperação.

— Por que é sempre tão curioso? Seu interesse se aplica a todos ou apenas às mulheres com quem deseja deitar-se?

— Você é ferina nas críticas... e nas autocríticas — sentenciou Alistair.

— E você adora um desafio. Se eu o estivesse perseguindo, sentiria tudo de forma diferente.

— Experimente.

— Não resiste mesmo, não é? — Jessica terminou de comer o pão e passou a arrumar os travesseiros. Quando se inclinou de leve sobre o peito dele, usando o cotovelo como apoio, notou a completa e relaxada beleza daquele homem.

Optando por não discutir sobre o conteúdo de seu interesse, Alistair retornou ao ponto anterior da conversação.

— Então, como você se vê no futuro? Que planos tem?

— Talvez fique por aqui, gerenciando Calypso. Gostaria de provar-me apta para a tarefa.

— Nada existe para fazer. O capataz e seus auxiliares são competentes, e há um contrato em vigor para o transporte da cana. A engrenagem funciona sem exigir nenhum esforço da sua parte.

Ao ver a sombra que cobriu as feições de Jessica, Caulfield percebeu o erro de ter falado assim. Na verdade, ficou alarmado com a possibilidade de Jess não precisar dele, o que seria o caso se não procurasse um comprador para a fazenda. Ela queria trabalhar, fazer algo de útil, e sua opinião tinha impactado seu acesso à mulher que desejava e admirava.

— Bem, sempre existem alguns ajustes a fazer — corrigiu-se ele. — Não há propriedade rural que não possa ser melhorada. — E, ao dizer isso, viu que Jess se mostrava grata, menos tensa.

Embora novata no jogo de sedução e conquista sexual, ela teve certeza de que Alistair fazia concessões para agradá-la.

— Assim espero.

— Contrariamente ao que disse antes, não há nada de intrigante sobre você — constatou Alistair.

Jessica contemplou a bela safira que lhe ornava um dedo da mão.

— Talvez uma coisa pequena — disse ela. — Pelo menos no seu entendimento.

— Não tenho maiores pretensões. — Ele teria escolhido um anel de rubi. O vermelho da pedra combinaria melhor com os lábios de Jess.

— Você pode... você *quer* me ajudar na Jamaica? — olhando para cima, ela emendou: — Você começou do nada, deve saber muito sobre cultivo e venda de cana-de-açúcar.

Ao surto de triunfo que Alistair sentiu seguiu-se uma inegável emoção.

— Depois que se instalar, posso lhe dar algumas dicas ou conselhos, mas não quero ser um intruso. Qualquer dúvida ou dificuldade que tenha, estarei pronto para ajudá-la.

— Agradeço desde já.

Então ambos se tornaram companheiros no silêncio. Era melhor frear a língua, Alistair refletiu, admirando a facilidade com que Jessica conquistava as pessoas por sua simpatia. Já quanto a expor sentimentos íntimos, ela mais se esquivava das perguntas do que lhe dava respostas. Estava claro que, durante o crescimento, passara por momentos duros, com "consequências" graves para seu bem-estar pessoal.

A safira no dedo o fez pensar se Tarley a conhecera profundamente. A maioria dos casamentos arranjados em sociedade se baseava no acordo mútuo de que discussões sérias não teriam lugar no relacionamento. Era comum que os dois tivessem vidas independentes e ficassem pouco tempo a sós. Desse modo, passavam boa parte da vida sem conhecer bem um ao outro. Teria havido alguém, na trajetória de Jess, que merecesse a total confiança dela?

— Você teve um cachorrinho de estimação — lembrou ele. — Estava sempre no seu colo.

— Sim, uma cadelinha, Temperance. Morreu faz alguns anos e eu não quis um substituto. — Jess exibiu um traço de tristeza, enquanto Alistair preferiria que ela fosse terna assim com outro ser humano. — Você já se apegou a algum animal?

— Meus irmãos mais velhos tiveram cães, dos pequenos aos maiores e mais ferozes. Quando o cão de Lawrence começou a destruir a mobília e os tapetes, Masterson decretou que não haveria animais na casa. Devido à minha pouca idade, não tive meu próprio animal e fui poupado dessas alegrias e tristezas. Mas confesso que brinquei muito com os da família.

— Desconfio que você mimaria demais um cachorro, ou um gato, ou até um papagaio... — atalhou Jess antes de rir à vontade. Alistair a acompanhou nos risos, contente com bom humor.

No fundo, ele desejava "mimar" Jess com carícias indescritíveis e que a levariam a viver plenamente o império dos sentidos. Também cobriria de joias seu corpo nu...

Clareando a garganta, ele perguntou se lady Regmont cultivava amor por animais de estimação.

— Hester não tem tempo para se dedicar a eles. Está sempre cheia de compromissos sociais. — Por certo, a vivacidade dela justificava a agenda repleta. — Michael se encantou com essa qualidade da minha irmã. Ele também gosta de estar rodeado de muita gente. Todos adoram Hester.

— Michael não tinha olhos para mais ninguém quando ela aparecia.

— Cá entre nós, ela é uma luz brilhante em qualquer ocasião.

Ele percebeu saudade naquelas palavras.

— Sente falta dela?

— De muitas maneiras. Hester mudou bastante durante o ano passado. Envergonho-me de dizer que não sei se a mudança foi lenta ou repentina. Depois que Tarley adoeceu, tive pouco tempo para visitar quem quer que fosse.

— Acha que ela ficou alterada?

— Receio que não esteja bem de saúde — disse Jess dando de ombros, como se perdoasse o próprio desconhecimento. — Está muito magra e pálida. Há momentos em que se queixa de um aperto em torno dos olhos e da boca, como se sentisse dor. Insisti, mas Hester se nega a consultar um médico.

— Se algo estiver errado, durante sua ausência, Michael fará o que for necessário. Pode ficar descansada.

— Com o tanto que trabalha, Michael tem pouco tempo para cuidar até dele mesmo. É um ótimo e querido amigo. Ele precisa de uma esposa para dividir o peso que carrega.

— Hester possui virtudes que fazem alguém como Michael se apaixonar. Acho que é por isso que ainda não se casou, apesar de ter muitas pretendentes.

— Está dizendo que Michael tem uma queda pela minha irmã?

— Sim, e há muito tempo — disse Alistair secamente, por saber quão exigente tal obsessão podia ser.

— Não posso acreditar. Ele nunca demonstrou mais do que amizade.

— Será que prestou a devida atenção?

Jess o observou com expressão inocente.

— Não sei.

— Lady Regmont também não sabe, o que complica a questão.

— Ela o mencionou tempos atrás, como modelo das qualidades que procurava em um futuro marido.

— Ah! Talvez conforte Michael o fato de descobrir que Hester pensou nele em algum momento. Mas agora nada pode ser feito para mudar a situação.

— Bem, ela também falou de você. Admirava sua aparência.

— Isso me orgulha. Você concordou?

— De certo modo, sim. Mas menti. Falei que você era jovem demais para me conquistar. — Jessica ergueu as sobrancelhas, tocada pela lembrança.

Alistair bateu uma mão fechada no peito, à altura do coração.

— Oh! A grande dama me cortou depressa da sua lista de interesses. A juventude traz vantagens. Vigor, hormônios, disposição...

— Impetuosidade — completou Jess.

— E isso pode ser delicioso — retrucou ele — quando usado de forma adequada. Por que não disse à irmãzinha que sentia atração por mim?

— Não podia encorajá-la a nada no sentido físico. Era casta e buscava um bom casamento, o que logo se concretizou. Já imaginou um marido ligando-se a uma mulher interessada em outro?

Corada, Jess gostaria de ter acrescentado que Alistair ignorava sua existência na época, mas a recíproca também era verdadeira. Ele a havia flagrado no arbusto ao lado do coreto e não a considerava mais do que um objeto de fornicação.

— Por certo, seria diferente, e melhor, se tivéssemos nos conhecido bem desde aquela época. Creio que já notou que não sou o que você pensava.

— Bem, quanto a Michael e Hester, ele deveria ter sido mais óbvio em demonstar seus sentimentos, embora minha irmã esteja muito feliz com Regmont — afirmou Jess.

— Não vamos especular sobre possibilidades do passado. A vida é assim. Às vezes dá, às vezes tira...

— Gostaria de testar seu modo de pensar... ao menos por algum tempo — confidenciou Jess.

Alistair olhou para o céu a fim de mitigar qualquer pressão que suas palavras subsequentes pudessem trazer.

— Seria a hora perfeita. Estamos iniciando uma nova fase da nossa existência e você pode se reinventar enquanto está longe de casa, sem nenhum conselheiro por perto.

Em dúvida, ela apontou um dedo para Alistair, gesto que ele julgou encantador pelo aspecto galhofeiro.

— Mas você está me aconselhando.

— Sei exatamente do que precisa: liberdade sem censura. — E, dizendo isso, ergueu-se. — Isso existe, e posso lhe provar que existe.

— Liberdade traz consequências — contestou ela.

— É verdade. Mas a censura é uma consequência ou um simples incômodo? Importa o que os outros pensem de você, se reunir condições emocionais para ignorar isso?

Jessica suspirou.

— Começo a me importar com o que você pensa de mim.

— Estou louco por você — resumiu Alistair, passando a recolher os objetos do piquenique e descartando parte deles no lixo.

— Se trocarmos os papéis — raciocionou Jess em voz alta —, você também haverá de valorizar as consequências dos seus atos. Aliás, terá de fazê-lo se resolver voltar à Inglaterra e se reintegrar à sociedade. Conseguirá fugir das oportunidades para evitar censuras?

Intrigado com a ideia dela, Alistair tomou Jessica pelo braço, deixando com ela o convés, e então proferiu uma resposta à altura:

— A verdadeira questão é se você consegue enfrentar e quebrar as regras.

— Prometo me esforçar.

11.

— LINDO CHAPÉU! — EXCLAMOU LADY BENCOTT.

Hester focou sua atenção na monstruosidade que lady Emily Sherman equilibrava na cabeça enquanto experimentava a peça diante do espelho. Decididamente, nenhuma das senhoras tinha bom gosto.

— Venha ver o chapéu da vitrine — sugeriu à amiga. — Talvez lhe caia melhor.

Encaminhando-se para o lado de fora da loja, Hester sentiu uma pontada de saudade de Jessica. Quando participava dessas saídas para compras, a irmã era uma conselheira e conciliadora de dar inveja. Sozinha na calçada depois de as amigas entrarem de novo no estabelecimento, Hester reparou em uma figura que se destacava em meio ao grande fluxo de pedestres na rua comercial.

O homem era alto e elegante. Usava botas de cano curto, calças brancas de cavaleiro e casaco verde-escuro discretamente enfeitado, mas sem dúvida caro. Exibia um andar tão confiante que os outros lhe davam passagem.

Mulheres, jovens ou maduras, não deixavam de observá-lo. Assim que notou o olhar fixo de Hester, ele a cumprimentou tirando o chapéu e elevando o queixo forte e quadrado, inconfundível para ela.

Michael. De imediato, a visão alterou o motivo de seu aperto no coração. Um calor lhe percorreu as veias, sentimento que não experimentava desde a primeira vez que Regmont a possuíra. Algum fator íntimo havia nublado aquela noite, mas a lembrança permanecia acesa.

Como ele se tornara um homem tão sedutor? Por que o amigo de infância passara a evitá-la? Quando se transformara em lorde Tarley ou antes? Como o via pouco, mal notara seu formidável poder de atração. Parado ali, em meio à multidão, parecia satisfeito com seu porte físico, e de uma maneira que o marido, baixo e atarracado, nunca demonstrara.

Hester deixou os braços caírem ao lado do corpo, esperando a aproximação de Michael com impaciência. Também ele se mostrava surpreso, afobado para vencer o tráfego e chegar à calçada.

— Boa tarde, lorde Tarley — disse ela em tom anormalmente firme.

— Lady Regmont — ele devolveu a saudação, inclinando-se de leve e deixando à mostra os cabelos castanhos. — É um prazer encontrá-la.

— Igualmente.

Michael avistou a loja de chapéus e a movimentação interna.

— Passando a tarde com amigas?

— Sim. — A resposta curta significava que Hester não podia falar diretamente com ele sobre o que a preocupava. — Gostaria de vê-lo assim que tiver tempo. Tenho algo importante a discutir com você.

— Do que se trata? É grave? — perguntou Michael, tenso.

— Ouvi falar de sua luta com Regmont.

Michael ergueu as sobrancelhas.

— Não vou machucá-lo — Afirmou ele, e completou, rindo: — Não muito.

— Não é com ele que me preocupo. — Segundo Hester, o amigo não tinha noção da fera adormecida que poderia acordar.

Com os lábios trêmulos, Michael sorriu, em um gesto raro e que demonstrava profunda comoção. Nunca demonstrara abertamente seu interesse por aquela mulher radiante, em especial depois de seu casamento supostamente harmonioso com Regmont.

— Duvida das minhas aptidões pugilísticas?

— Não. É que não suportarei vê-lo ferido.

— Então, por você, tratarei de me proteger bem. E quanto ao seu esposo? — O olhar dele adquiriu um novo brilho. Ali, em plena rua, a situação parecia mudar de rumo.

— Regmont é fisicamente capaz de se defender sozinho — respondeu ela, percebendo que tinha revelado mais do que deveria. Por isso, passou a conversar sobre outro assunto.

— Apreciei sua visita, no outro dia. Não pode aparecer com mais frequência?

— Gostaria de tomar essa liberdade, Hester. — Um olhar sombrio complementou a voz baixa e íntima. — Prometo tentar.

Então cada qual partiu para um lado, sem mais despedidas. Hester reuniu toda a força de vontade que possuía para não espiar Michael por sobre o ombro quando voltou à chapelaria. Uma coisa era falar por um instante com o cunhado da irmã. Outra, mostrar-se ávida por vê-lo e senti-lo perto de si.

Junto das amigas, Hester ouviu elogios a ele, como o de que o título de nobreza lhe assentava bem.

— Com alguma sorte, Emily — afirmou lady Bencott —, um chapéu novo vai chamar a atenção dele e lhe propiciar um encontro.

— Tomara! — atalhou a outra, mas trocando o chapéu que experimentava por um terceiro, que tinha visto na prateleira. — Faz tempo que admiro Michael Sinclair.

Tal comentário provocou em Hester um inesperado e desconfortável ciúme.

— Deseja falar comigo?

De sua mesa de trabalho, Michael viu a mãe entrar na sala. Magra, bem trajada e igualmente bem penteada, conhecida pela firmeza de opiniões, a condessa de Pennington aparentava reinar sobre o espaço acanhado do escritório.

— Sim.

— Ela ocupou a cadeira indicada pelo filho, que colocou a pena com a qual escrevia sobre a tampa do móvel de mogno.

— Tenho um favor a lhe pedir.

A condessa estudou Michael com ar bondoso. A perda do outro filho, Benedict, se refletia em sua expressão austera. — Pois sabe que basta dizer. Se estiver dentro do meu alcance…

— Obrigado. — Ele analisou os próprios pensamentos, escolhendo a melhor maneira de dizer o que pretendia.

— Antes de mais nada, diga-me como tem passado. — Elspeth pousou as mãos no colo. Tinha faixas grisalhas nas têmporas e outros sinais de envelhecimento, mas continuava bonita, impecável e imponente. — Procurei deixá-lo sossegado, respeitar sua privacidade, desde que Benedict morreu, mas confesso que me preocupo com você. Parece não ser o mesmo.

— Nenhum de nós é — concluiu Michael, recostando-se na cadeira.

Essa conversa sofrera um longo adiamento. Elspeth guardara luto fechado pelo conde e se abstivera de influenciar a nova vida de Michael, embora costumasse acompanhar a trajetória de todos os familiares. Agora, ocupava-se de amigos e atividades sociais, porém, desconhecia a razão daquela visita: apoiar o filho que sobrara ou preencher o vazio deixado pelo outro que partira?

— Fomos inocentes a ponto de pensar que Benedict jamais iria nos deixar um dia. — Por isso, agora, nos debatemos com a falta dele.

— Você não está se debatendo — corrigiu Elspeth. — É mais do que capaz de assumir novas responsabilidades à sua maneira. Ninguém exige que siga o estilo de Benedict nos negócios. Pode abrir seu próprio caminho.

— Estou tentando.

— Também não precisa ser um substituto perfeito de seu irmão. Rezo para que acredite que seu pai e eu nunca quisemos isso.

Michael meneou a cabeça.

— Não haveria ninguém melhor para eu imitar — rebateu ele.

De forma graciosa, Elspeth apontou o corpo do filho, a mão movendo-se da cabeça aos pés dele.

— Quase não o reconheci quando entrei. Você mudou seu guarda-roupa, além de pormenores, como o corte de cabelo.

— Já não sou simplesmente um Sinclair — respondeu ele em tom defensivo. — Sou um Tarley, e espero em breve ser nomeado o novo conde de Pennington. Optei por uma aparência mais discreta e por uma conduta mais recatada.

— Absurdo! — protestou a mãe. — O importante é sua saúde e felicidade. A capacidade de trabalho é mais valiosa para o título do que a suscetibilidade de seu irmão.

— Saúde é um luxo que quero manter. Ignoro como Benedict fez frente a todas as obrigações, mas o volume de trabalho pendente é espantoso.

— Em vez de fazer tudo sozinho, confie mais nos funcionários da propriedade.

— Sim, eu confio, mas não posso deixar a responsabilidade pela boa condição financeira da família nas mãos de empregados apenas para me poupar. O que ainda não sei fazer, vou aprender.

Michael olhou em torno de si e captou a essência do estilo do irmão. Os tons vermelhos e marrons da decoração não eram as cores que escolheria para o escritório, todavia, não se julgara no direito de modificá-las.

— Ao contrário de Benedict, superei as preocupações com as terras de Calypso.

— Sim, por testamento, ele passou tudo à viúva, Jessica Sheffield. Ela não precisará de mais nada pelo resto da vida — comentou a mãe.

— Na verdade, viabilizar essa propriedade para maior produção e renda consumirá muito da atenção, paciência e trabalho de Jessica. Mas ela conta com um estipêndio para as despesas normais. De qualquer modo, é um desafio — completou Michael, continuou: — Ele a amava. E ela veio falar comigo, dizendo que existe algo sobre a Jamaica que a afetava e exigia uma mudança de postura e de princípios. Jess merece credibilidade, porém, e tem total liberdade de ação, garantida pelos documentos da herança.

— Bem pensado, suponho, mas Jessica deveria estar aqui conosco, em vez de viajar a fim de resolver problemas tão distantes. Dói-me imaginá-la sozinha por lá.

— A irmã dela, Hester, pensa da mesma forma, o que tem a ver com o assunto do favor que quero lhe pedir.

— Sim?

— Aprofunde seu relacionamento com Hester. Traga-a para junto do seu círculo social. Passe mais tempo com ela, se possível.

Elspeth ficou surpresa.

— Ela é adorável, sem dúvida, mas há muita diferença de idade entre nós. Não estou certa de que nossos interesses combinem.

— Tente, por favor.

— Por quê?

Michael pousou os braços sobre a mesa.

— Temo que exista algo de errado com ela. Preciso da sua opinião. Se eu estiver certo, a senhora perceberá imediatamente.

— Eu quis dizer, por que o interesse em lady Regmont em particular? Por causa de Jessica?

— Certamente gosto das duas. São boas pessoas e muito ligadas uma à outra. — Michael se interrompeu nas explicações a fim de não ter de mentir.

— O que é muito louvável. Mas eu não compreendo sua preocupação. Se Hester não estivesse bem, o marido saberia e tomaria providências. Porém, você precisa de uma boa esposa, com a qual poderá se ocupar. Já tem alguma pretendente à sua altura?

Resmungando, Michael desistiu de fazer confidências fora de hora: *Não, absolutamente. Como bem insinuei, estou apaixonado pela esposa de outro homem.*

— Eu vou bem, os negócios também, assim, não vou retê-la aqui. Não se preocupe comigo.

— Preciso de uma boa xícara de chá, mas sei esperar — contestou a mãe. — Mas, conte-me, o que causou essa atenção especial da sua parte em relação a lady Regmont?

Michael sentiu vontade de tomar algo mais forte que chá. Elspeth não tinha capitulado. A conversa apenas aguçara a mente curiosa da matriarca. E se ela soubesse que Hester havia receado por sua integridade em função de uma rodada de pugilismo entre dois homens civilizados? A lembrança de seu rosto assustado, como a implorar que Michael a tranquilizasse, ainda o assombrava.

— Ela emagreceu e anda pálida. Sempre foi suscetível, fisicamente ou não. Já não parece a mesma mulher vivaz e cheia de energia.

— Ora, os homens raramente reparam nisso nas próprias esposas, quanto mais um... estranho.

Michael ergueu a mão, como para se prevenir de outras admoestações.

— Conheço meu lugar e o dela. Estou colocando o assunto nas suas mãos, e com isso ficarei mais tranquilo para focar minha atenção nos negócios.

A chamado de Michael, uma criada veio receber o pedido da mãe quanto ao chá. Ele solicitou um cálice de conhaque. Elspeth esticou a saia ao retornar ao seu assento.

— Sei da sua luta de boxe marcada com Regmont. De repente, ela ganhou um novo significado, além do que eu já imaginava... um retorno do velho Michael.

— Será apenas uma disputa esportiva, nada mais. A senhora tem o costume de ver fantasmas onde não existem.

— Não venha me dizer que, por esporte, resolveu reviver antigos hábitos. Pensar e falar de lady Regmont pode ter causado esse efeito em você — a mãe de Michael adoçou o tom. — Mas verei o que posso fazer por Hester. Com uma condição.

— Ah, eu sabia! Qual?

— Deve permitir-me apresentar a você algumas belas e ricas jovens.

— Droga! — reagiu ele. — A senhora é incapaz de agir só pelo coração bondoso?

— Bondoso *para você*. Sente-se estressado, subestimado. Sem surpresa, foi atraído pelo conforto de se interessar por uma mulher casada.

A criada retornou com as bebidas, o que impôs uma pausa na discussão. Michael calou-se, reconhecendo que argumentar contra a mãe alimentaria a hostilidade dela. O chá, em definitivo, não iria sossegá-la. Ele desfrutou de seu conhaque em silêncio.

— Ainda bem que se calou — Elspeth prosseguiu pouco depois. — Casei-me com um Sinclair e criei dois outros. Sei exatamente como vocês são, por dentro e por fora.

— Somos tão diferentes assim dos outros homens?

— Alguns, como seu amigo Alistair Caulfield, só levam em conta a atração física. Mas os Sinclair agem a partir daqui. — Ela bateu sonoramente a mão no peito, no lugar do coração. — Feita a escolha, não desistem por nada. Talvez seja o seu caso, não?

Michael recusou-se a comentar.

— Sua família original demorou a me aceitar, mas seu pai conseguiu o que queria. E Jessica Sheffield... você a perdeu tolamente, por tardar a declarar-se. Eu a acolhi como se fosse minha filha, porém, mantive certas restrições. É o tipo de mulher que nunca se conhece bem, mas Benedict também teimou em casar-se com ela, e depressa.

— E viveu feliz — foi o comentário de Michael.

— Realmente? Acho que se esforçou para ter Jessica para si por inteiro, de corpo e alma. Contudo, ela parece incapaz de se entregar por completo ao amor. Guarda uma espécie de nicho interior, inacessível.

— Penso que está sendo injusta, mamãe. Há outros aspectos a considerar em um matrimônio, na vida de um casal.

— Talvez por isso você continue solteiro. Não por muito tempo mais, se me der o privilégio de interferir...

Michael desviou os olhos para a larga janela que dava para a rua. Entre os deveres a que estava fadado, junto com o título de Tarley, estava o de casar-se e ter filhos. A esposa, claro, deveria possuir as qualidades pessoais requeridas pela aristocracia britânica. Ele sentiu-se cansado, exaurido, e decidiu não prolongar aquela agonia.

— Aconselhe lady Regmont — disse com mais secura do que convicção — e eu me disponho a conhecer as moças que a senhora indicar.

— Combinado. — Elspeth sorriu, satisfeita com a própria perspicácia.

12.

JESS PASSEOU PELO CONVÉS DE BRAÇO DADO COM Beth. O vento em alto-mar era forte, estufava as velas e dirigia a embarcação até seu destino. A velocidade, contudo, não era suficiente para a criada.

— Estou cansada do mar e deste navio — resmungou Beth.

— E ainda temos muitos dias pela frente — comentou Jess.

— Oh, isso é odioso! — A jovem olhou para a patroa com um sorriso estranho. — Pelo menos a senhora conta com uma distração bem bonita durante a viagem.

Jess assumiu um ar inocente.

— Eu nunca admitiria isso.

Por meio de suas interações com Alistair, Jess chegara a uma nova compreensão do arrebatamento que as mulheres jovens podiam experimentar. Ela não passara por isso até aquele momento. Acordada ou sonhando, Alistair ocupava sua mente com alarmante regularidade.

— Lembre-se de seu namorado quando estivermos na Jamaica — pediu a Beth, afugentando as lembranças.

— Ah... Miller! Gentil e jeitoso. Um rapaz da melhor espécie.

Jess riu.

— Como você é ingênua!

— Às vezes — Beth concordou sem embaraço.

— Gentil e jeitoso, você disse? Ninguém me falou para admirar essas qualidades.

— A senhora foi ensinada a se interessar por cavalheiros bonitos — retrucou a criada. — Claro, quanto mais formosos, mais severos são com as mulheres.

— Como assim?

— Recebem um tratamento diferente do normal. Quanto mais se espera deles, menos concedem. Acham que a boa aparência compensa tudo. — Beth estudou o semblante da patroa. — Sem desrespeitá-la, milady, mas devia saber disso.

Jess gesticulou com a cabeça, concordando. Ela sabia.

— Existem homens que defrutam as maiores liberdades com as menores consequências — explicou Beth. — São perdoados pelas mulheres traídas, mas que não deixam de amá-los. Isso dói. Se eu tivesse a chance de escolher entre um homem bonito e elegante, e outro feio, mas gentil e bondoso, ficaria com o segundo.

— Você é sábia, Beth. Mas não considero Miller uma pessoa feia.

Beth deu de ombros.

— As lições da vida são duras de ser aprendidas. Sou grata a tudo que me acontece, mas quebraria minhas regras pelo sr. Caulfideld. É um homem fascinante, não?

— Sim — afirmou Jess, pensando nos problemas que a ligação com ele poderia lhe trazer. No entanto, as horas de prazer justificavam os riscos.

— Pode ficar tranquila — Beth acalmou a patroa. — Está segura, pois ainda sente a perda do seu marido e não entregou seu coração a outro. Se tiver de dar adeus ao sr. Caulfield, será com gratidão e sem remorsos. É assim que as mulheres sobrevivem à troca de um amor.

— Verdade? — Até ouvir isso, Jess não se achava imune a um profundo laço de amor com Alistair. Naquele instante, espantou-se por sentir alívio.

— Bem... O coração tem defesas que nem podemos imaginar. — Beth segurou o braço de Jess. — Quanto ao sr. Caulfield, eu não me preocuparia.

É do tipo que borboleteia em volta das mulheres bonitas. Quando termina com uma, logo arranja outra.

No mesmo minuto, um menino de cerca de dez anos, talvez filho de alguma serviçal a bordo, passou correndo pela proa, brincando sozinho. O pé de um marujo, estendido de propósito no caminho, o derrubou. O garoto caiu e começou a gritar de dor e de susto. Inconformada com tamanho ato de crueldade, Jess censurou o tripulante aos brados, enquanto Beth se agachava a fim de socorrer o menino, que sangrava no braço, para depois levá-lo de volta à mãe.

— O senhor aí! Não posso aceitar o que fez com uma criança inofensiva.

— E a senhora sabe dirigir uma embarcação? É perigoso correr pelo convés. Agi assim pela segurança de todos e do próprio menino — defendeu-se o marinheiro, fazendo menção de afastar-se.

Naquele momento, admitindo a ineficácia de qualquer reclamação, Jess lembrou-se vividamente da insegurança e do quase estado de pânico que a assaltaram na infância diante de seu pai. Ao ficar triste mas em silêncio, ela se prevenia da escalada da violência paterna quando era castigada por conta de alguma peraltice. No entanto, ao rever a expressão furiosa do garoto ferido, ela segurou o marujo pelo ombro.

— Existem maneiras melhores de impor disciplina a bordo — argumentou.

— Não é da sua conta — o homem enfezou-se, os olhos saltados.

— Vigie seus modos ao se dirigir a uma dama! — interveio Beth, erguendo-se.

Jessica conhecia bem aquele olhar. Era triste constatar que existiam muitos homens como seu pai, incapazes de controlar o próprio poder e de resolver os problemas sem recorrer à força ou a xingamentos. Eram mestres em derramar seu ódio sobre pessoas moralmente debilitadas, e tiravam prazer dessa atitude.

— A senhora nada conhece sobre navegação, *milady* — declarou o homem em tom de deboche. — Como encarregado da segurança, posso ensinar-lhe a sobreviver aqui.

Outros marujos se aproximaram, dispostos a aplacar os ânimos exacerbados.

— Então, por que não ensinou uma criança a se comportar, usando palavras em vez de botas? Acho você pouco confiável para qualquer tarefa.

Acatando as sugestões dos amigos, o homem enfiou as mãos nos bolsos e retirou-se, derrotado.

— É complicado lidar com marinheiros rudes — opinou Beth.

— Mas era apenas uma criança! — rebateu Jess, convencida de que tinha agido bem e de que encararia com coragem qualquer abuso praticado por um adulto. No íntimo, sentiu-se realizada pela oportunidade de demonstrar a força de seu caráter.

— Lady Tarley!

Ao ouvir a voz de Alistair, voltou-se e o viu acompanhando a cena de longe. Desenfreada, sua imaginação lhe mostrou que, caso estivesse ali há mais tempo, ele deveria ter se aproximado para ajudá-la a conter o marujo.

— Sim, sr. Caulfield? — respondeu, em meio aos tripulantes que se dispersavam e enquanto Beth se afastava com o menino.

— Ainda deseja meu auxílio? — perguntou Alistair com ar inocente.

— Conversaremos sobre isso em particular.

— Claro.

Para surpresa de Jess, Alistair chamou o homem que tinha derrubado o garoto.

— Você!

O marinheiro aproximou-se e removeu o quepe surrado em sinal de respeito.

— Pois não, senhor.

A mudança visível no proprietário do barco e em seu subordinado espantou Jess. Ela de novo lembrou-se de sua infância, da submissão que sempre demonstrara diante da rudeza do pai, anulando seu inconformismo.

— Reveja imediatamente o tratamento que dá aos nossos futuros marujos — Alistair alertou com firmeza o homem agora calado, pacato como um cordeiro. — Não irei tolerar atitude semelhante para com qualquer criança, ou mesmo adulto, dentro de um navio meu.

Um potente jorro de admiração percorreu as veias de Jess. A distância, Caulfield devia ter visto o suficiente para entender a situação. A atitude dele significava muito para Jessica. Até mesmo Beth tinha parado para escutar a reprimenda, girando a cabeça do menino para que ele pudesse testemunhar tudo. De olhos arregalados, o garoto balançou a cabeça, mas sua expressão era de terror, não de aprovação nem de alívio.

Jess ficou confusa, pois esperava ver a criança relaxada e grata. Então compreendeu o que se passava: uma das mais difíceis lições aprendidas na infância era que adiar o inevitável levava apenas a uma punição maior no final. Lágrimas brotaram em seus olhos. Lágrimas de piedade tanto por aquele menino quanto pela menininha infeliz que havia sido. Jess compreendeu que talvez tivesse tornado as coisas ainda piores para o garoto, que agora estava vulnerável a uma vingança por parte do marinheiro repreendido por Alistair.

Sem esperar por ninguém ou por mais nada, Jess correu até a passagem abaixo do convés. Procurava a privacidade atrás de uma porta fechada, mas sentiu uma mão masculina no ombro e deixou-se levar, com a visão borrada e o coração agradecido.

A cabine de Caulfield. Apesar da visão turva, Jess teve certeza disso graças ao aroma de sândalo, típico de Alistair. A fragrância viril permeava o ar e elevava a temperatura do local, no mais familiar pelo tamanho, pela mobília e pela decoração. Parecia diferente, talvez pela sensualidade dominante. Ela respirou fundo, tomada pela expectativa de um prazer indescritível. Não se achava livre disso, bem como não se achava livre de seu pai ou de si mesma. Nem do charme de Alistair, conforme tinha suposto.

— Jessica? — Alistair a rodeou até abraçá-la por trás. — Droga... não chore.

Jess tentou escapar da pressão, mas ele a apertou ainda mais contra si. Seu coração batia forte.

— Fale comigo — pediu Alistair.

— Aquele marujo agressivo não pretence à raça humana. É um animal. Você faria bem em livrar-se dele.

Alistair manteve a respiração junto ao ouvido dela, até que isso parecesse completamente natural. Ela sabia que, além de querer excitá-la, Alistair avaliava suas reações ao episódio do menino derrubado no convés.

— Pretendo falar com o capitão Smith e pedir a demissão dele assim que chegarmos ao porto. Assim, poderei beneficiar você, mas gostaria de uma explicação sobre seus atos.

A espontaneidade dele despertou em Jess novos e conflitantes sentimentos. Achava-se suscetível, exposta demais, desejosa de dar àquele homem um prazer maior do que o meramente físico. No entanto, narrar-lhe seu passado de menina infeliz era algo penoso. Por certo, ele a julgava temerosa de alguma represália por parte do marinheiro.

— Eu protegerei você, agora e sempre — acrescentou ele.

Jess dirigiu-se para a porta, alegando indisposição. Alistair bloqueou-lhe o caminho, com os braços cruzados.

— Pretende me prender aqui?

Ele curvou a boca em silencioso desafio, porém o olhar cálido a debilitava.

— Sente-se vulnerável. Fique comigo até recuperar-se — propôs ele.

A conversa com Beth, momentos antes, aplicava-se bem à situação. Jess compreendeu o porquê de sua atração por Alistair, mas a sensação de que ele se frustraria com ela ainda a paralisava.

— O que realmente pensa de mim?

— Que você é minha amante, Jess.

— Ainda não.

— Neste ponto, o sexo é mera formalidade — contestou Alistair em tom baixo e íntimo. — Faz tempo que nosso encontro se tornou inevitável. Porém, não sou homem de me contentar com migalhas, seja lá do que for. Quero tudo. Do melhor ou do pior.

— O pior de mim poderia decepcioná-lo — Em vez de abrir-se com Alistair, Jess fez o contrário. Não iria sobrecarregá-lo com o peso das cenas de agressão física praticadas pelo pai na infância, muito menos igualá-lo à laia do marujo abusado.

— Você sofre de uma inquietação permanente. Mas posso suportar isso. Não existe parte de você que eu despreze.

— Por quê?

— Porque minha vontade de você é irrestrita.

Entre outros casais, aquilo seria entendido como uma declaração de amor. No caso de Jess e Alistair, ela compreendia que, em sua mudança de vida, ele buscava a serenidade. Eventuais relacionamentos existiam para aliviar sua carga, não para aumentá-la. Ainda assim, Alistair — o homem mais viril que ela conhecera — era o único indivíduo que parecia confortável perante as confidências da mulher que cortejava.

Ele não modificaria o tratamento dado a ela. Tinha vivido e abraçado o lado sórdido da vida, e saíra fortalecido da experiência. Era assombroso como Caulfield mantinha a simpatia e a lucidez sem parecer arrogante ou autossuficiente. Anos antes, sua inata sensualidade o havia exposto ao interesse lascivo de mulheres amorais. Assumira a responsabilidade que lhe cabia pelo próprio futuro. Mas a que preço?

— Jessica, em que você pensa quando me olha dessa maneira?

Ela dera pistas de sua inegável adoração pela pessoa de Alistair Caulfield, incluindo o exercício primoroso do lado instintivo. A sensualidade que ele transmitia, além de aliciante, valia como aditivo aos desejos que a corrompiam. Por isso, diante daquele homem, Jess antecipava — e temia — os minutos de profundo e primitivo prazer.

O único obstáculo era que o mundo dele não era o dela; o universo de Jess não se confundia com o de Alistair. Podiam tomar o mesmo caminho por algum tempo, mas eles fatalmente se separariam em algum ponto. Ela não ficaria na Jamaica para sempre, nem ele toleraria a sociedade londrina, por mais que afirmasse o contrário. Sua sede de viver, vibrante e poderosa, o levaria para longe, a fim de fugir do tédio. Ela estava pensando como Beth, aceitando relacionamentos de curto prazo. Espaço para uma gratidão sem remorsos, como dizia a criada.

— Eu admiro você — respondeu ela por fim. Não deixou de ser sincera, mas ficou ansiosa devido aos incontáveis segundos que ele aguardou até ela responder.

— Depois de saber tudo sobre mim? — perguntou Alistair, que a viu confirmar com um meneio de cabeça. — Então é a única pessoa que conhece minhas transgressões passadas e mesmo assim...

— Nunca hesite em ser honesto comigo. Deve acreditar na minha virtude de conservar a mente aberta.

— Não sem alguma apreensão — confessou ele, cerrando os dentes. — Mas, sim, creio que você está mais propensa a perdoar meus pecados do que a usá-los contra mim.

O recente vazio interior de Jess já dava lugar a algo quente e terno. Faltavam-lhe palavras para explicar o que sentia. Era alguma coisa semelhante a vitória. De qualquer modo, era uma sensação oposta à da derrota experimentada no outro dia, ao fugir de Alistair quando ele ocupava a torre de comando do navio.

Era surpreendente, mas sua mente lhe pertencia por completo e estava clara. Não negava que seu corpo havia sofrido e que suas emoções muitas vezes eram guiadas pelo medo. A mente, porém, permanecia incorrupta.

Jessica estava apta a julgar Alistair por critérios próprios, embora divergentes dos da maioria. Seu pai, por exemplo, havia falhado com ela, por Jess não conseguir pensar e agir como ele, apesar dos esforços.

Por isso, por tanto prezar a liberdade interior, Jess abrigava pontos em seu íntimo que Alistair desconhecia e talvez nunca viesse a alcançar. No entanto, ele já tornara viável a revelação, possível a descoberta. Sem ele, Jess jamais enfrentaria uma escolha entre o pior e o melhor de uma pessoa. A opção atual era, no mínimo, aceitável.

Em silêncio, Alistair não percebia quanto o mundo de Jess já girava em torno dele. Ela fez menção de abrir a porta da cabine e ele não a impediu. Ela sabia que Caulfield a seguiria se ela saísse dali. Julgou-se uma mulher de sorte. Então, com cuidado, voltou-se e começou a desfazer o laço do chapéu, amarrado sob o queixo, depositando a peça no espaldar de uma cadeira. Continuaria a despir-se ou iria embora, dificultando o início de um sublime ato de paixão?

Nem uma coisa nem outra. Ela sentou-se à beirada da cama e observou o rosto de Alistair, transfigurado de expectativa. Isso a fez tremer de tensão, o que se refletiu na própria respiração ofegante. Inesperadamente, ele disfarçou a própria vontade e juntou as mãos atrás das costas.

— Preciso lembrá-la de que sou visto como o grande chefe desta viagem. Sua presença na minha cabine é imprópria.

Um sorriso de desapontamento surgiu nos lábios de Jess. Eles estavam trocando os papéis até então em vigor naquela relação.

— Pareço me importar com quem é o proprietário da embarcação? — conseguiu articular.

— Como você sempre diz, é preciso levar em conta as consequências.

Jess desejava os dedos dele em sua pele, a boca provocante em sua intimidade, e toda a satisfação sensorial que Alistair era perito em dar. Sentiu um surto de afeição por ele e de gratidão pelas mudanças que vinha efetuando em seu estilo de vida.

— Sim, farei isso — avisou com pouca convicção, tanto que Alistair insistiu que ela as enumerasse. — Sem jogos ou apostas, por favor. Não agora.

— Conte-me por que resolveu ficar aqui, na minha cama?

— Por que não?

— Por que agora? Recusou convites anteriores para me visitar no meu território. Faz um minuto, tentou sair. O que mudou? O que pretende esquecer? Quer deitar-se comigo sem beber um gole de vinho antes?

— Não quero esquecer nada, mas sim recordar cada momento, cada palavra trocada hoje. É que aconteceu muita coisa em curto espaço de tempo e achei que um encontro secreto me ajudaria a assimilar.

Reprimindo a emoção, Alistair mostrou-se estranhamente agitado.

— Hoje me sinto mais perto de você — prosseguiu ela. — Mas não o suficiente. Daí a vontade de me desnudar e me oferecer a você.

— Não pense que quero menosprezá-la, de modo algum.

— Não vou pensar nada. Não mais.

A cautela dele era significativa. Se quisesse fazer sexo, não se preocuparia com desculpas ou empecilhos, nem com o tipo de explicação que ela poderia dar a fim de esquivar-se. Na verdade, era ele quem fugia da tentação, fazendo-a sentir-se ridícula com o oferecimento.

— Não estou preparado para uma pausa no meio do dia. As horas vão passar e sua ausência será percebida. Sua criada e meu valete acabarão sabendo da nossa transgressão. Talvez outros também comentem.

Jess pesou bem aquelas considerações.

— Está procurando me convencer a desistir. Alguma coisa mudou entre nós?

Ela sabia que não era o caso. Não com o olhar sensual que ele lhe dirigia, mas o que se passava na mente de Alistair era um mistério.

— Eu nem me lembro de ter de me controlar — disse ele de forma rude. — Mas você precisa pensar em quem você é, onde está, e em quem eu sou. Considere o jantar no salão: uma vez saciada sexualmente, os outros nos olharão como se fôssemos assassinos.

Ele falava como um empresário, não como um amante. Deveria aguardar outro momento, outra oportunidade. Ou isso estava se tornando impossível? A crueza de Caulfield a afetou, provocando-lhe uma tensão acalorada que nunca havia experimentado. Viu Alistair na condição de um amante selvagem, capaz até de feri-la com seu jeito másculo, fazendo mais de tudo que ela desejasse.

E ele de fato a desejava. Naquele exato instante. A confiança dela nos próprios encantos femininos o estimulou até um ponto em que não havia volta.

Alistair venceu a distância que os separava.

— Espero que entenda o que está fazendo — disse ele, sentando-se na cama e dando início às preliminares. — Mal posso aguardar até que esteja pronta, nua e em chamas.

— Também não aguento mais esperar — Jess apressou-se em tirar toda a roupa. — Fique bem quieto, sr. Caulfield, enquanto eu o possuo.

13.

O PEITO DE ALISTAIR EXPANDIU-SE COM UM forte hausto de ar, depois voltou ao normal. O que não era normal era a disposição de Jess, estranha ao repertório dele de fruições eróticas. Incrédulo, Caulfield pediu esclarecimentos.

— Fique deitado e deixe o resto comigo — disse ela. — Hoje não quero ser subjugada e sei que você não gosta de perder apostas. Mas esse é um preço insignificante a pagar pelo privilégio que vai me conceder.

Jess admirou-lhe as costas nuas, convidativas, antes de empurrá-lo sobre a cama. À sensualidade inerente a qualquer pequeno movimento que ele fazia somou-se uma expectativa ácida. O membro rígido que se destacava entre as pernas de Alistair acelerou a respiração de Jess. Não era o caso de pressupor nela uma vasta experiência anterior, porém, a maneira como tirou o corpete confundiu-se com um ato de liberação dos seios frementes. Ela teve de pedir ajuda com a fivela de trás, e ele valeu-se da posição para usar as mãos em inebriantes afagos nos ombros, na nuca e nos mamilos de Jessica.

O toque foi leve, mas suficiente para aumentar o desejo dela. O odor único do corpo de Alistair penetrou-lhe as narinas, e então ela começou a deslizar os lábios e o nariz por todo o corpo dele. Aparentemente feliz, ele se entregou por inteiro. Quando Jess se aproximou da virilha de Caulfield, abocanhou o falo rijo, mas macio. Executou movimentos ritmados, lubrificados por saliva, que foram descendo aos poucos até chegar perto da base do membro. Jess havia sonhado com essa autonomia de ação. Antevendo a ânsia no fundo da garganta, retraiu-se, mas continuou com a ousada carícia por meio de golpes de língua em toda a extensão do órgão.

— Jess... — Ele suspirou de prazer, deliciado com a liberdade que ela assumira durante o ato. Como continuava por cima dele, Alistair teve acesso às nádegas femininas, que afagou com cuidado e leveza, até curvar o dedo médio direito sobre a fenda posterior do corpo *dela*. Em meio à pelagem curta, tateou a área demoradamente e com delicadeza, até que, com um movimento da mão, arrancou de Jess uma exclamação de surpresa e deleite.

Era uma retribuição à audácia dele. Jess inclinou a cabeça para trás, fechou os olhos e soltou um suspiro de aprovação. O desejo de entregar-se totalmente, mantendo a iniciativa, tornou-se irresistível. Queria obter de Alistair todo o gozo possível. No entanto, incomodado com a posição passiva, ele agarrou-a pela cintura e tombou-a debaixo de si, disposto a mostrar outras variantes secretas da prática sexual.

Então colheu os seios de Jess com as mãos em concha, depois brincou com os mamilos com a ponta da língua. Após abraçá-lo com força, Jess o empurrou pelos ombros a fim de que ele lhe alcançasse a virilha. Ali, usando a boca, Alistair aplacou a vontade que o arrebatava desde que ela começara a se despir. Alcançou o ponto mais sensível do corpo dela e conduziu-a às portas do paraíso. Jess tinha almejado dar a ele o máximo prazer, mas sem abster-se de seu quinhão. Compreendia agora que se submeter à fina arte do amante podia ser o melhor caminho.

A penetração que se seguiu foi ritmada, em um vaivém enlouquecedor. Suspiros e gemidos de ambas as partes marcaram o auge da relação. Uma merecida paz recaiu sobre Jess. Conseguiria ela viver, doravante, sem a companhia de Alistair e de sua alta capacidade erótica? Não queria ficar como as mulheres que ele tivera antes, tolas e submissas aos caprichos do homem. Continuava desejando mostrar-se especial, apta a satisfazê-lo por completo, e colhendo talvez as migalhas desse prazer intenso.

Jessica aninhou-se no peito de Alistair, mas ergueu o rosto e pressionou os lábios contra os dele, de forma a provar que os beijos a tornavam mais sedutora e desejável do que qualquer outra.

— Deixe-me aproveitar bem você — murmurou Jess entre afagos.

— No nosso último encontro você se esquivou...

— Depois de sete anos, não pode me pedir paciência.

Ela recomeçou a sessão de carícias, mordiscando o corpo masculino do rosto aos pés. Deitado de costas, Alistair abriu-se de novo à paixão calorosa de Jess. Era espantoso o nível de volúpia dele, francamente insaciável. E tinha sido ela, na primeira vez, que lhe dera essa impressão...

Como uma criança manhosa, Jessica entendeu que teria de instigá-lo. Assim, agachou-se sobre a virilha e, com uma mão, tratou de dirigir-lhe o membro até sua cavidade íntima. Empolgou-se com a perspectiva de cavalgá-lo, embora fosse pouco experiente nessa posição. Ele se retraiu, esgotado, mas ainda assim irradiava sensualidade.

— Por Deus, Jess... — resmungou Alistair. — Se quer me matar, seja rápida. Não me atormente.

Mesmo incompleto, o contato foi devastador. Ela arqueou-se a fim de que Alistair a penetrasse em profundidade. Novamente possuída, Jess forçou a posição de modo a oferecer-lhe um seio, cujo mamilo estava duro e vermelho. A umidade entre as pernas era mais do que bem-vinda. Jessica consistia em uma massa de sentimentos e desejos que Caulfield não ousou reprimir. Ao contrário, ela se mostrava completamente disponível e indefesa, como ele apreciava, pronta a ser protegida.

Alistair acolheu aquela nova onda de calor, que avançava pele adentro e os fazia suar. Beijou a mão que o afagava, causando em Jess mais uma aceleração nos batimentos cardíacos. Era incrível, mas os músculos dele ainda pulsavam de virilidade diante da visão prazerosa do corpo feminino. Envaidecida, ela exibiu-se, focada no deleite visual que provocava e que também era seu, ao contemplar o órgão masculino mais uma vez rijo.

— Estou ardendo de desejo por você — declarou ele.

— Eu também — garantiu Jess, tocando o membro de Alistair. Ela excitou-se com a tangível amostra do prazer que aquele homem prometia. A concentrada energia do parceiro a relembrou de quão intensamente o desejava. Sentia-se um tanto vazia sem a ação dele. Naquele instante, queria-o dentro de si mais que todas as outras vezes. Conseguiu concretizar seus anseios, e, por fim, ambos se deitaram lado a lado, plenamente satisfeitos um com o outro. Até por uma questão biológica, viam-se forçados a descansar e aguardar por uma nova relação, em outra hora. Mas que fosse logo...

Sete anos. E parecia que a atração entre ambos só havia crescido... sempre pulsante, embora escondida.

E agora, após mais um orgasmo ruidoso, em sincronia? Tudo indicava que depois, muito provavelmente, não haveria mais sete anos de distanciamento.

— Alistair! Percebeu que hoje não precisei de nenhum estímulo alcoólico?

— Sim, e não me desapontou nem um pouco. Mas sou apenas um homem, não uma máquina.

— Tentei ser civilizada... — contrapôs Jess, sentindo o afago da mão dele em seus cachos. Em seguida, Alistair beijou-a na testa, como um cúmplice agradecido. Obrigou-se a lembrar de pedir-lhe, na próxima vez, que passasse levemente os cabelos soltos por sua virilha, uma carícia sublime pela qual ansiava.

— Outro dia, no convés, tive de me conter para não violentá-la — confessou ele —, de tanto que a desejava.

Ela aproximou os lábios em busca de um beijo.

— Você continua me desejando.

Orgulhoso, Alistair saiu da cama a fim de recompor-se. Notou que Jess observava seu pênis semiereto, fascinada.

— Está quase pronto para mais uma viagem ao céu — comentou ele, rindo.

Jess sentou-se na cama e recolheu a roupa espalhada. Respirou fundo e admitiu que, naquele aspecto, os homens estavam em desvantagem. Mas Jess havia se acostumado com um só homem, Tarley, e não esperava familiarizar-se tão intimamente com outro.

Sem aviso prévio e decidida a completar a ereção, ela ajoelhou-se diante do homem ainda nu e aplicou a língua no órgão dele. Retraçou o caminho das finas veias e então empenhou-se no ato oral com decidido vigor, a fim de propiciar o máximo prazer. Invulgarmente excitado, Alistair não conteve o orgasmo e o jorro de sua seiva vital alcançou Jess em torno dos lábios. Para sua surpresa, ela lambeu parte do líquido espesso, em um gesto que não denotava depravação, mas o prolongamento do prazer. Instado a retribuir, ele a deitou na cama e posicionou-se entre as pernas erguidas.

— Jessica... diga-me que gosta disso.

— O tom da voz de Alistair a intrigou, mas também afastou qualquer desconforto. Ele ainda ofegava quando a tomou com a boca, e ela sentiu-se feliz por poder multiplicar o deleite do amante, que suava e salivava acima do normal. Também vibrou ao primeiro toque de língua em sua intimidade, certa de que era capaz de dar e receber uma indescritível satisfação sensorial.

— Sim... sim!

— Sempre sonhei com o que está acontecendo entre nós — sussurrou ele quando fez uma pausa, erguendo-se para beijá-la de forma calorosa. De volta ao alvo, não deixou de afagar-lhe os seios com as mãos. Ambos estavam envoltos em uma volúpia especial, imunes ao cansaço. Ao contrário, a tensão mútua os revigorava para carícias que pareciam intermináveis. Alistair chegou a recolocar-se sobre ela e a excitá-la ainda mais com a glande, após esfregar seu corpo todo no de Jess, movimentando as nádegas de forma selvagem. A atitude feroz dele só não a assustou porque havia ternura no olhar, tanto quanto nos toques.

Jessica relembrou o êxtase que ele lhe proporcionara na véspera. O sexo com o marido sempre fora respeitoso e discreto, embora Tarley lhe tivesse ensinado tudo ou quase tudo o que agora sabia. Aluna aplicada, em outra pausa Jess levou os dedos aos testículos de Alistair, massageando-os em indizíveis carícias. Ainda aventurou-se uma vez mais com a língua pela virilha dele, desejosa de marcar aquele encontro como um momento inesquecível. Estava convencida de que, entre os dois, o contato direto ultrapassava as fronteiras dos sentidos. Sentia que existia, de ambas as partes, alguma alma em tudo aquilo.

— Por favor — sussurrou ele, sentido vibrar a musculatura inteira. — Pode me sugar de novo como antes? Bem fundo?

Jess não se fez de rogada. Atendeu ao pedido depois de roçar as coxas nas pernas dele. Trêmula, interrompeu o sexo oral a fim de observar cada nuance da expressão de Alistair. Percebeu que ele logo sucumbiria a um novo e rápido clímax. Sentiu-se indomável, dona de uma força da natureza, de uma feminilidade sem limites ou restrições, sem regras ou leis.

Terminaria junto com ele, já que Alistair tinha voltado a usar os dedos a fim de estimular-lhe o clitóris. A mão dele se ocupava de excitar toda a região em torno, novamente provocando mais prazer do que incômodo. O ato íntimo nunca tinha sido assim na companhia de Benedict. Solícito, o marido sempre a agradara, porém, Alistair era rude e impositivo nas relações sexuais. Ela se sentia mimada em outro sentido: o da plenitude na proximidade e na conexão dos corpos.

— Está quase... — preveniu-a Caulfield. — Sua boca é divina.

Alistair segurou-lhe a cabeça no lugar, a fim de que compartilhasse o orgasmo. Jess acolheu o sêmen, dessa vez em menor volume, mas a sensação de engoli-lo continuou sendo extasiante. Ela estremeceu em seu próprio gozo, ou na fantasia dele. Já não sabia se tudo aquilo era real ou uma fictícia transgressão das normas.

Jess, a transgressora! Quando havia imaginado comportar-se assim? Correu os dedos pelos cabelos e pelo peito de Alistair, de modo a certificar-se de que aquele homem era de verdade.

Nunca se sentira tão bem. Por duas ou mais vezes, conhecera o êxtase sensual, e já admitia que não existiam limites para ele. O gosto de Alistair permanecia em sua língua, e talvez nem um eventual naufrágio o tirasse dali. Da parte de Caulfield, a contemplação daquela mulher lhe enchia os olhos e o coração. O rosto adorável estava corado, os olhos cinzentos tinham escurecido, os lindos cabelos longos se espalhavam pelos ombros nus e as pontas deles desciam até o torso, até os seios... Era simplemente a visão mais bonita que ele havia desfrutado na vida.

— Obrigado — murmurou, beijando um dos mamilos à mostra. A discreta sucção fez com que ela o desejasse de novo.

Aquela disponibilidade de Jess significava mais para Alistair do que ele conseguiria expressar por palavras. Sentira sua falta por tantos anos e ela se entregara aos impulsos reprimidos com generosidade e entusiasmo.

— Querido... — Sua voz rouca soou plena de submissão.

Já não havia qualquer resistência por parte de Jess, nem cautela ou prudência, a ponto de Alistair experimentar certa insegurança com relação à liberdade que ela demonstrava ter em seus braços. Pensaria nisso depois. Naquele momento, tudo o que desejava era prolongar a paixão solta no ar, excitar Jess até ouvir de novo seu nome entre os suspiros de clímax. Deixou-se repousar entre as pernas dela, mas não conseguiu manter os dedos quietos. Tocou-lhe as dobras íntimas, ainda incrivelmente quentes e úmidas. A sensação era gratificante. Se as abrisse e observasse, não resistiria a golpeá-

-las com a língua. Com certeza ela estaria pronta para mais uma sessão de carícias. Insaciável? Talvez, mas ele não era menos.

Jess esticou os braços, em claro sinal de rendição. Parecia um anjo em meio à semiescuridão da cabine.

— Você é tão linda... — elogiou ele.

— E você, tão provocante... — emendou Jess, ao constatar com a mão que o membro dele recuperava a rigidez aos poucos e que ela poderia ajudar nesse processo.

Assim, levou os lábios ao órgão e sentiu-o crescer dentro de sua boca. Viu Alistair debater-se entre o desejo e a prostração. Sorriu de contentamento diante do próprio poder. Se dependesse dos instintos à tona, tudo recomeçaria, e seria igualmente bom. No entanto, além de cansaço, ambos estavam com fome e sede, o que tornava recomendável uma pausa maior. Por dias seguidos, Jess havia faltado ao jantar em grupo e já se censurava por não dar mais atenção ao comandante Smith e seus auxiliares. Mas seria penoso banhar-se e vestir-se para ir ao salão na companhia de Alistair. Por sorte, ele se dispôs a pedir comida no quarto por intermédio de seu valete. Mais tarde, alimentados e descansados, tratariam de enfrentar o desafio dos sentidos.

Nada impedia, porém, que continuassem abraçados, trocando toques de prazer e ternura. A longa busca de Jess por paz e plenitude encontrava seu instante de realização.

— Passe a noite aqui, junto comigo — sugeriu ele.

Sorrindo, Jess não verbalizou a resposta, mas a demonstrou na prática com um beijo. Alistair o retribuiu com uma leve mordida na nuca da parceira. Uma nova conjunção carnal, mais do que capricho, revelava-se uma necessidade, dado o estado de ânimo alterado que tomava conta dos dois.

— Você está todo rijo — comentou ela ao olhar para o ventre de Alistair. Envolveu-lhe o pênis com uma mão e teve uma sensação esquisita, como se ele não tivesse desfrutado um orgasmo avassalador momentos antes.

— Por você, sempre — retrucou Alistair. — Prometo cuidar do seu corpo a noite inteira.

— E eu prometo esperar por isso.

Pouco depois, vestidos só com roupões, alimentaram-se e cochilaram por cerca de duas horas. Despertaram refeitos e motivados. Alistair, agora que não lhe faltava dinheiro, jurou a si mesmo não mais pensar em aproveitar-se de damas carentes. Seus dotes físicos o haviam ajudado na vida, mas agora estava decidido a focar os olhos e as fantasias em Jess. Esta, livre e confiante, voluptuosa e atrevida, seria doravante o centro de suas atenções. A altas horas da noite, continuava fácil vencer-lhe a resistência causada por um ano de abstinência sexual.

Pele contra pele, ambos repetiram os afagos anteriores. Repetir é só um modo de dizer, pois Alistair se mostrava mestre em variar posições ou iniciativas. Encontrou com o dedo o ponto mais sensível dela e o estimulou por um longo tempo. Ensaiou possuir Jess por trás, retraindo-se por receio de machucá-la, porém deixou plantada uma fantasia poderosa. Coube a ela, em seguida, sugar o órgão viril que ele lhe ofereceu. A ação lenta e prolongada o conduziu à beira do êxtase. Jess parou a tempo, pois ainda ansiava por sentir Alistair dentro de si, o que aconteceu nos moldes de uma posse animalesca. Respirando fundo, ele dosou a penetração em níveis cada vez mais profundos, e assim testemunhou o transporte da amante a mundos jamais sonhados. Queria que Jess o sentisse em todas as dimensões possíveis, queria imprimir nela uma sensação imorredoura. O suor escorria por seu pescoço e costas, prova material do controle que exercia sobre a própria vontade de terminar.

— Por favor, mais rápido — pediu Jess com a voz embargada.

Sem retardar as estocadas, Alistair procurou-lhe os lábios, que beijou e mordiscou com o cuidado de não provocar dor, somente prazer. Assim, unidos de alto a baixo, partilharam mais um orgasmo tantalizante e tranquilizador. Era o terceiro do dia? Jess tinha perdido a conta.

Saindo de cima dela, Caulfield estatelou-se na cama, consumido, mas não perdeu por esperar. Livre do peso dele, Jess baixou a cabeça e voltou a abocanhar o órgão de Alistair, a fim de recolher as últimas gotas de sêmen. Sentiu a pulsação do sangue nas veias dele, potencializada por tanto tempo de distanciamento. Deixou nele uma indescritível marca de sensualidade, devidamente retribuída com a sucção íntima que lhe aplacou os derradeiros anseios. Sob o efeito do gosto e do aroma da intimidade de Jess, Alistair lembrou que tinham decorrido sete anos de contenção. À frente, ele previa pelo menos outros sete de completo deleite.

14.

PELA MANHÃ, JESS ACORDOU SENTINDO O TORSO de Alistair rente às suas costas e um dos braços dele pousado em sua perna. Enterneceu-se. Seu corpo estava dolorido e pesado, e por isso ela permaneceu deitada, assimilando aos poucos a agradável novidade de ter um homem a seu lado. Isso confirmava a intimidade estabelecida através dos repetidos atos de amor.

Era dia, mas o sol estava encoberto por nuvens. Jessica entendeu que ignorava ser capaz de ter vários orgasmos seguidos e que um homem pudesse guardar tantos hormônios sexuais. Benedict, o visconde de Tarley, se aplicara a doutriná-la em matéria de sexo e se esforçara por satisfazê-la na cama. Mas não possuía os dotes de Alistair nem era tão rápido na recuperação, em questão de minutos. Alistair alegava como motivo seu desejo por ela. Claro, era mais jovem do que Benedict, mais jovem do que a própria Jess, porém esta se negava a pensar assim. A maior revelação que tivera residia no fato de o fervor sexual de seu amante não amendrontá-la mais. Imaginava-se igualmente fervorosa. A gratidão da qual falara Beth era apenas uma das incontáveis emoções que dançavam em seu corpo e sua mente. O crescente afeto por Alistair lhe aquecia o peito.

Mudando de posição, Jess alinhou uma perna com a de Alistair e estalou os lábios contra o bíceps dele, ouvindo um som de aprovação.

— Se eu soubesse — disse Alistair — que o sexo mexia tanto com você, teria me esforçado para antecipar nossos encontros na cama.

— Uma semana de espera foi demais? — indagou ela, intrigada com a relativa rapidez com que haviam se unido.

— É que muitos anos precederam esta semana — rebateu ele, tomando a mão dela em um beijo cavalheiresco. — O que quebrou sua resistência?

— Não compreendi, de início, as muitas facetas envolvidas em nossa... ligação. Eu a via como uma complicação desnecessária. Claro, rejeitava a ideia de que um caso amoroso fosse a evolução natural na vida de uma viúva, ou mesmo parte do processo de saída do luto, da abstinência...

— E agora descobriu isso? — Ele apertou a lateral do pulso dela.

Jess confirmou com um aceno de cabeça, colando ao corpo de Caulfield a metade inferior de seu corpo. Sentia-se à vontade, segura e livre.

— Agora estou preparada para desfrutar você. Por mim, a experiência tende a ficar mais forte.

— Então, continuo sendo uma experiência... — Ele tornou-se contemplativo. — Para quando estima um adeus amigável?

Ela deu de ombros.

— Não tenho a menor ideia. E, francamente, detesto pensar no fim disso tudo.

Jess já havia mudado bastante por causa de Alistair, e de muitas maneiras. Na verdade, ele não era mais uma experiência, mas uma aventura repleta de possibilidades imprevisíveis.

— Pois eu penso — declarou ele em tom casual, destinado a aliviar o peso de suas palavras.

Ainda assim, Jess experimentou uma pontada de dor no fundo da alma. Não era culpa de Alistair que ela não soubesse como conduzir um caso, ou uma experiência, ou uma aventura. Sofria devido à obsessiva preocupação com o que chamava de "consequências". Gostaria de revelar-se tão inconsequente quanto ávida e sensual, sem dar a ele um motivo para deplorar o envolvimento.

— Nós dois sabemos que você se cansará de mim primeiro — arriscou Jess.

— Explique-se. Você me manterá como seu amante até que um de nós não deseje mais o outro?

— Existe uma etiqueta social que você conhece melhor do que eu.

Com um movimento ágil, Alistair subiu em Jess, separando as pernas dela e colocando-se entre elas. Era um estímulo frequente, mas por cuja repetição ela ansiava em segredo.

— Você me desafiou de novo — disse Alistair, fingindo queixar-se. — Desta vez, vou possuí-la indefinidamente.

Ele introduziu somente a glande nas dobras íntimas de Jess e moveu-a de forma a atritar-lhe de leve o ponto mais sensível. O gemido de Jess antecipou sua predisposição para o prazer, para uma nova fruição da semente vital do amante.

— Acho que tão cedo você não vai se cansar de mim — afirmou ele, seguro de sua prática em satisfazer as mulheres. Mesmo já repleta da seiva dele, Jess queria mais. O quase contínuo arrebatamento que Alistair lhe propiciava nunca seria banal nem indesejado. Havia sido ingênua ao imaginar — e dizer — que razões externas poderiam vir a separá-los.

Alistair a possuiu com um misto de vigor e ternura, e isso a levou a esquecer de uma vez por todas a conversa sobre o encerramento do caso. Felizmente, estava só no começo, e Jess reconheceu-se apaixonada por Alistair. Sincronizou seus movimentos com as estocadas dele e o prazer anunciado a fez gritar. Nas profundezas de seu ser, porém, a sensação de pecado por vezes a assaltava.

— Vou provar quanto a desejei por todos esses anos — avisou Caulfield com um sorriso que não desmentia sua determinação.

Pela parte posterior dos joelhos, ele ergueu-lhe as pernas para que Jess ficasse inteiramente aberta. O ato então sofisticou-se com a busca da mais profunda intimidade dela. As sensações de Jess se intensificaram graças aos beijos molhados e aos toques dos lábios de Alistair por todo seu corpo. Todo o processo se converteu em uma posse integral, dando vez a uma acomodação recíproca que, apesar do empenho, teve seu lado fluido, delicado. No final, os gemidos de Jessica perduraram por um tempo impossível de ser mensurado. Exauridos, mas satisfeitos, os dois permaneceram abraçados por um período igualmente indeterminado. Pela excitação compartilhada até o clímax, aqueles tinham sido os minutos mais inesquecíveis de todo o relacionamento.

Graças à exata consciência de seu desempenho, Alistair não solicitou nenhum comentário por parte de Jess. Mas não se furtou a observar:

— Desta vez, possuí você de forma a compensar todos os anos de espera.

Novos soluços de prazer escaparam da garganta dela em meio ao seu atordoamento. O corpo forte e bonito de Alistair a havia agasalhado e dominado, como que a afastando do mundo real. Tinha migrado para um universo de desejo e possessividade, mas não seria sincero lamentar sua submissão.

— Jess... — Ele suspirou, enxugando no lençol o suor da testa. — Nunca me cansarei disto ou de você. Acho que não poderei parar.

— Mas pare, pelo menos até amanhã — disse ela rindo, antes de soltar e flexionar a perna que ficara presa debaixo da dele. A comichão no ventre a predispunha para uma repetição, mas o arrebatamento anterior de Alistair a havia deixado dolorida. Estava contente por ter realizado uma fantasia dele, mas convinha poupar-se, indefesa que estava perante a pressão das emoções. Os olhos se avermelharam sob uma súbita torrente de lágrimas.

Ela buscou abrigo no peito de Alistair, afagando-lhe os cabelos e roubando dele um beijo fervoroso e voluptuoso. Surpreso, ele posicionou-se sobre Jess e friccionou o membro na virilha dela.

— Sua vez — disse, para motivá-la. — Faça comigo o que quiser.

Jess mudou de posição devagar, um pouco aturdida, de forma a cavalgá-lo e ser penetrada, agora de maneira leve, quase recatada. Era a atitude dominante que a excitava. Não se absteve de um demorado contato do órgão viril com seu clitóris, e também surpreendeu-se com o orgasmo múltiplo que a fez estremecer de novo.

Jess pousou a cabeça no tórax de Alistair, notando que ele não tinha completado o ato. Parecia ter perdido a voracidade, a pressa com que a possuíra antes, traído por outras emoções. Fazia por merecer um estímulo.

— Entre em mim — convidou ela. — Sou toda sua.

Em silêncio, Alistair recostou Jess na cama, prendendo-a pelos pulsos, e deslizou para dentro dela. Ela ouviu seu nome ser sussurrado diversas vezes e, feliz, ancorou a crescente tempestade que fazia seu amante vibrar.

Ao anoitecer, foram juntos ao salão de jantar, onde o capitão Smith os aguardava. Alistair mostrou-se ansioso. Raspou as unhas na madeira da grande mesa, quase vazia. Observou Jess com o olhar fixo enquanto ela conversava com o comandante. Usava um vestido de seda de gola alta, talvez para ocultar a evidência das mordidas do amor no pescoço. Existiam outras, menos expostas à curiosidade alheia. A cor da roupa, violeta-escuro, correspondia à sua condição de viúva, detalhe que aborreceu Alistair. Ele gostaria de vê-la radiante como nos momentos em que faziam amor. No entanto, um bom observador notaria o brilho sensual nos olhos, o tom corado da pele, os lábios um pouco inchados de tantos beijos. A graciosidade de Jess, sobretudo nos gestos, prevaleceu sobre qualquer restrição. Nunca parecera mais relaxada, portanto, mais bonita e composta, superando todo sinal evidente de agitação. Nesse aspecto, ganhava longe de Alistair e de seu nervosismo.

Ele simplesmente estava louco por ela, por mais difícil que fosse reconhecer-se enamorado. Naquele mesmo dia, seus planos para o futuro tinham sofrido modificações drásticas: tudo o que antes considerava inviolável — sua liberdade de ação, os direitos de macho conquistador, a habilidade em esquivar-se das convenções sociais — estava em risco. De agora em diante, Jessica ditaria os caminhos de sua vida, porque não conseguia ver-se sem ela a seu lado. Era uma constatação chocante... Por anos a fio, havia desejado aquela mulher, só não percebera que, desde o início, a queria para sempre.

Jess estudou Alistair através do vidro de sua taça de vinho. Franziu a testa, preocupada. Ele acenou com impaciência, a fim de tranquilizá-la. Tinha obtido dela muito mais do que o planejado, ultrapassando as barreiras do pudor e da conveniência. Acontecera que a generosidade da mulher na cama chegara muito mais longe do que a mera doação do corpo. Lágrimas, risos, provocações, nada havia sido reprimido. As costas de Jess talvez ainda exibissem as unhadas de Caulfield, porém, as marcas interiores eram mais importantes. Ela permitira que Alistair identificasse toda a emoção filtrada pelos atos de amor, e tal conhecimento agora o fustigava. Quando Jessica o prendia contra seu corpo, adiando o próprio orgasmo à espera do clímax dele, dava-lhe mais um pedaço de seu arrebatamento interior.

Como Jess podia apresentar-se tão serena após horas de sexo selvagem? Aparentava certo distanciamento dos fatos, mas Alistair sabia que isso não era verdade. Ela não iria engajar-se em um envolvimento apenas sensual. Era o tipo de mulher que só se entregava por completo — de corpo, mente e alma. Jess *tinha* de estar menos insensível aos fatos do que demonstrava, mas sua mania de perfeição talvez a protegesse desse tipo de exibicionismo. Enquanto isso, era Alistair quem procurava distanciamento sem consegui-lo. Sentia-se de mãos atadas pelas qualidades daquela mulher. Teria a coragem autopunitiva de desfazer os elos?

Não por enquanto. Achava necessário mais algum tempo a fim de vivenciar sua nova realidade.

Com um sorriso, ele pediu licença e saiu antes da sobremesa, desfazendo o nó da gravata como se aliviasse também a tensão interior. Pouco depois, Jess o encontrou no convés, debruçado e respirando fundo o ar marinho.

— Caulfield?

— Sim, Jessica. — Ele voltou-se para ela. A voz de Jess o fez reviver as imagens íntimas que lhe povoavam a mente. Não havia escapatória.

— Você não se sente bem? — indagou ela. — Esteve tão quieto durante o jantar.

Alistair meneou a cabeça, desmentindo, e ganhou a companhia de Jess na amurada, na contemplação do oceano e do reflexo da lua na água.

— Desculpe-me — respondeu em um tom evasivo.

— Em vez de desculpas, prefiro saber o que o preocupa tanto.

— Pensamentos sobre você.

— Oh? Seria mais lisonjeiro se você não parecesse tão estranho — disse Jessica, aproximando o corpo do dele.

— Contemplativo — corrigiu Alistair, embora se concedesse um esgar que também era novidade.

A vida daquele homem, presente ou passada, sempre se beneficiara de sua capacidade de manter no rosto uma expressão confiante. Sem alternativa, ele propos a Jess terminarem a conversa que haviam tido pela manhã no convés. Jess ergueu o queixo e, em um primeiro momento, negou-se a falar alguma coisa. Apenas perguntou se Alistair preferia conhecer aspectos pouco edificantes de sua trajetória ou seguir idealizando-a como uma perfeita figura romântica.

— É tudo o que tem a me propor? — ingagou ele, chegando mais perto. — Ver a superfície e não a profundidade da história?

— Não, não é isso. — Jess tocou-lhe suavemente o braço, e, em troca, ele afagou-lhe a mão. — Há muita coisa que eu gostaria que você soubesse. Tudo, na verdade.

— Por quê?

Uma leve ruga se formou na testa de Jessica, que se mostrava encantadora ao luar: a pele luminosa como pérola, e o semblante contendo uma suavidade que Alistair não havia notado antes. Estivera lá durante toda a refeição ou surgira somente agora que se achavam sozinhos? O lado ansioso dele apostou na segunda possibilidade. Sentia-se invulgarmente carente.

— Porque você me fascina — confessou ela. — Quando pensei que já o conhecia, você mostrou um outro aspecto seu completamente inesperado.

— Por exemplo...?

Jess piscou como se precisasse vê-lo melhor, livre de qualquer sombra.

— Quando você assumiu o leme do navio. E quando preparou o piquenique no convés. E quando deixou minha cabine na primeira noite, — Diante do homem que meneava a cabeça, ela mordiscou o lábio inferior. — Não compreendo. Eu o desagradei de algum modo?

— Seria insano de minha parte dizer que sim. Só faltava... — Ele esboçou um sorriso e tratou de entrelaçar os dedos com os de Jess, ficando os dois de mãos dadas.

— Meu pai acreditava que guardar a vara de bater estragaria uma criança.

— O quê? Seu pai, o marquês de Hadley, espancava você, a própria filha? Inacreditável! — Perplexo, Alistair abraçou Jess com força, desejando purgar-lhe todas as más lembranças.

— Bem, não fui abusada sexualmente nem estraguei minha vida por conta disso — balbuciou ela. — Mas a dor fica adormecida na mente e às vezes comanda nossas ações mesmo muitos anos depois.

— São as consequências, como costuma dizer?

— De certo modo, sim. Como a vontade de proteger da violência o menino derrubado pelo marinheiro. — Jess deu um sorriso meigo, recordando o apoio que Alistair lhe dera na ocasião. Podia seguir confiando nele, mesmo que o caso entre os dois não evoluísse para um lindo e irretocável romance de amor.

— Eu a admiro muito! — exclamou Alistair, olhando-a com firmeza.

— Não me considero rebelde, mas procuro manter minha individualidade — explicou ela. — E foi como pessoa que fantasiei com você.

— Isso tem relação com a procura de um bálsamo para a perda do seu marido? — Alistair arrependeu-se de imediato de ter dito isso, pois seu tom denotava amargura. Sentia-se capaz de servir e de agradar Jess em tudo, menos no que era mais importante: ser aceito dentro do coração dela. Gostaria de contentar-se com o papel que tinha, mas ajudá-la a superar o passado com o pai e o marido não era suficiente. Não quando via sua vida tão radicalmente transformada pela presença de Jessica.

— Alistair... — Jess retraiu-se de repente e a mão livre agarrou a barra da amurada. Esforçou-se por manter as costas retas e a cabeça erguida, em postura desafiadora. — Acho que você deseja ouvir de mim alguma coisa, qualquer coisa que diminua sua estima por mim ou lhe dê motivos para uma saída de cena.

Saída de cena? A ideia era absurda. Ele estava viciado na intensa conexão que ambos haviam encontrado na cama. Confiança nos outros era algo que Alistair tinha evitado a vida toda, e agora isso se tornava um ponto essencial. E talvez não apenas para ele.

— Conte-me mais — pediu. — Assim poderei ser mais útil e prevenir uma perda de interesse da sua parte.

— Pare com isso! — ordenou Jess.

— Não me importo com seu tom tirânico — foi a resposta dele.

— Desculpe-me. Mas, e se souber algo sobre mim que seja inaceitável para seus gostos? Sua atitude para comigo não mudaria? — inquiriu Jess, desprendendo-se da mão dele e ensaiando sua retirada dali. — Eu o verei amanhã, Alistair, depois que uma boa noite de sono melhorar seu humor.

— Não me dispense — ele quase implorou, lutando contra a urgência de mantê-la a seu lado. Claro, não usaria de força física para obrigá-la, em especial depois de conhecer o que Jess tinha sofrido na infância.

— Você está sendo má companhia, Alistair, e desconheço o porquê.

— Sempre me julguei capaz de ter tudo o que desejasse. Trabalhei para isso, mesmo pagando, na juventude, um alto custo em termos de moralidade. Agora que tenho você, não admito a possibilidade de perdê-la. Não poderei comprá-la nem forçar que me aceite. É isso que me frustra e envenena meu estado de espírito.

Ela o escutou calada e um pouco arrependida.

— Compreenda — prosseguiu Alistair. — Quero que pense na nossa relação como algo ilimitado, infinito. Quero que dias como hoje se repitam, que passemos as noites juntos e acordemos abraçados. Isso não exclui necessariamente passeios no parque e festas de salão ao som de valsa.

— Não ficaria infeliz? — Jess manifestou sua dúvida.

— Sem você, sim. — Ele cruzou os braços depois de alisar os cabelos revolvidos pelo vento. — Lamento não ter dito tudo isso no começo. Sei que lhe falei de um caso de curta duração, mas minhas intenções e minhas necessidades mudaram.

— Não estou certa de ter entendido bem essas intenções e neces...

— Um momento — interrompeu-a Alistair. — Você disse outro dia que não se preocupa com o final do nosso relacionamento, mas acho que ainda o considera inevitável. Não pode mudar seu foco?

— Pensei que tínhamos concordado em sermos amantes até que um de nós perdesse o interesse pelo outro. O que mais deseja?

— Podemos elaborar melhor essa ideia entre nós — Alistair gesticulou com impaciência, apontando para ela e para si sucessivamente — em vez de acreditarmos em um destino ruim, implacável. Podemos enfrentar juntos os problemas quando surgirem. Se a atração entre nós diminuir, será possível reacendê-la.

Jess umedeceu os lábios.

— Como chamaria esse tipo de arranjo?

Superando a ansiedade que ameaçava tirar-lhe a voz, Alistair deu uma resposta primorosa:

— Fase de namoro, creio. De fazer-lhe a corte.

Seria maravilhoso, ela pensou, desde que não significasse a interrupção dos encontros íntimos.

15.

HESTER SABOREOU O CHÁ LENTAMENTE, NA tentativa de manter alguma coisa no estômago. Embora sentisse fome em horários noturnos, as tardes ainda a encontravam sofrendo de náuseas.

— Sugiro que troque a cor das tiras — disse ela à condessa de Pennington. — Experimente a marrom com a azul, e a verde com o tom de pêssego.

Elspeth olhou por sobre o ombro na direção da poltrona que Hester ocupava no quarto da condessa.

— De verdade? — indagou, retornando a atenção aos tecidos e às fitas espalhados na cama. Gesticulou para a modista presente ali e confirmou: — Tem razão.

Mesmo sorrindo, Hester continuava confusa desde que Elspeth se mostrara amistosa, disposta a longas visitas, ainda que se comportasse um pouco como mãe. Era o papel que Jessica preenchia, mas agora que estava longe... Entendia que o interesse de Elspeth era parte de sua readaptação à sociedade londrina após anos de recolhimento na magnífica casa de campo de Pennington.

— Você deveria provar biscoitos de limão ou gotas de gengibre junto com o chá — recomendou a mulher mais velha. — São bons para enjoos.

— Obrigada. Outra hora, talvez — Hester fez uma pausa e completou: — É tão óbvio?

— Somente para uma boa observadora, que passou várias tardes com você.

— Por favor, devo pedir-lhe discrição.

Os olhos escuros da condessa brilharam como se ela estivesse de posse de um segredo.

— Você e Regmont guardam a novidade para si. É admirável.

— Regmont ainda não sabe — confidenciou Hester, relutante.

— Como? Por que não?

— É que me sinto mal e não paro de pensar que algo pode dar errado. Se contar a Regmont, ele ficará impaciente, nervoso. Melhor esperar um pouco e ter certeza de que tudo está bem.

— Tem razão, querida, mas só em parte. Está vivendo uma das poucas oportunidades que a mulher tem de pedir qualquer coisa ao marido e consegui-la.

— De todo modo, Regmont me dá bastante atenção. — Mas não aquela regalia que ela mais desejava, que era sua paz de espírito. — Também não é hora de preocupar Jessica, longe de casa.

— Ela irá se encantar com a notícia — ponderou a condessa.

— Sim. — Hester alisou sua longa saia. — Mas isso irá atrapalhar os planos dela no momento.

— Mas ela ficará magoada se você não lhe contar.

— Escrevi algumas linhas para ela, mencionando o assunto de passagem. Por enquanto, é o suficiente. Se eu exagerar, Jess será capaz de interromper a viagem e voltar correndo.

Elspeth bebeu um gole de chá.

— Vocês duas são muito próximas.

— É verdade. — Hester levou a mão ao seio, que doía. — É irmã e mãe para mim, além de melhor amiga.

— Jessica comentou que sua mãe faleceu quando vocês eram pequenas.

— Eu tinha dez anos, mas parecia que já tinha perdido minha mãe bem antes disso. A saúde frágil a deixava melancólica, quase sem falar com ninguém. Não tinha nenhuma vibração, parecia um fantasma.

— Lamento muito. — Elspeth sorriu com comiseração. — É uma lástima que lady Hadley tenha sofrido tanto.

— Jess é que daria uma mãe maravilhosa. E Tarley, um pai não menos excelente.

— Pode-se dizer o mesmo de você e Regmont, eu presumo.

A condessa apontou a porta para a modista, que saía, e voltou a olhar Hester fixamente.

— Querida, será possível que você também esteja com depressão?

— Oh, não. Apenas me sinto indisposta durante a maior parte do dia. E preocupada, confesso, com a luta livre entre Regmont e Michael, marcada para amanhã. Gostaria que desistissem disso, mas meu marido leva tudo muito a sério.

— E você se preocupa mais com Michael — acusou Elspeth com uma ponta de malícia.

Hester corou; não esperava que suas atenções para com Michael fossem tão evidentes. Havia frequentado os eventos sociais de Londres na última semana, ansiosa por vê-lo, mesmo que de relance. Ao deparar com Michael na loja de chapéus, tinha experimentado alegria e tristeza ao mesmo tempo, prova de que seu amor pelo marido já não a corroía por dentro.

— É uma boa pessoa — justificou-se, e a condessa concordou mais do que depressa.

— Mais do que boa. — Elspeth pôs sua xícara na mesinha. — Preciso ser honesta com você... Michael já passou da hora de se casar. Se tiver alguma indicação entre as debutantes, diga diretamente a mim. Resolvi ajudar meu filho na escolha. E sei que você também deseja a felicidade dele.

— Claro — afirmou Hester, empenhada em disfarçar a surpresa, algo que nunca faria diante da irmã. — Ficarei honrada.

Elspeth sorriu, satisfeita, e agradeceu à visitante por tudo, acrescentando que esperava ver Michael casado antes do final do ano.

— Seria ótimo — comentou Hester sem muita convicção.

Jess adivinhou quem estava do lado de fora de sua cabine no navio apenas pela cadência das batidas à porta. Alistair entrou em seguida, certo de que seria bem-vindo. Tinha mudado bastante nos últimos dias, desde que o novo acordo fora celebrado. Continuava bonito, mas a serenidade havia suavizado suas feições e instaurado bom humor em seu comportamento. Dedicava-se até a divertir Jess contando anedotas. O que acontecera com a inata sensualidade dele? Estaria reprimindo os impulsos, uma vez que já não a provocava nem se deitava com ela havia quase uma semana?

A caminho da mesa, ele pressionou os lábios em uma das têmporas de Jessica, que ergueu o queixo, como que pedindo um beijo de verdade, na boca.

— Boa noite — cumprimentou-o Jess, percebendo o costumeiro prazer no gesto receptivo para com Alistair. A situação lembrava sua vida com Tarley, mas nada era igual. A resposta física e emocional agora era mais rica e profunda.

Talvez fosse culpa dela que o relacionamento físico com Benedict tivesse sido insatisfatório a partir de certa época. Na verdade, a culpa era de Alistair, sempre presente nos escaninhos de sua alma, dono de um espaço sensual que ela hesitava em entregar ao marido.

— Veja isto. — Ele sentou-se e pôs sobre a mesa uma pasta de couro que trazia debaixo do braço.

— Do que se trata?

— Trabalho.

Jess pôs de lado a carta que escrevia a Hester.

— Estou feliz por ter vindo me ver, mesmo pressionado por compromissos profissionais.

— O que prefiro, em vez de trabalhar, é fazer amor com você, mas suspeito que isso seja inoportuno, e não por causa do nosso acordo.

Ela enrugou a testa. Como Alistair percebera que ela estava menstruada? Não se furtou a interrogá-lo.

— Como poderia ignorar? — questionou ele. — Nos últimos dias, toquei seu corpo mais do que o meu próprio. Seus seios incharam, seu desejo por sexo tornou-se febril, entre outros sinais. Prezo-me de ser um observador experiente...

— No que me diz respeito, isso é lisonjeiro — retrucou Jess.

— Não consigo tirar os olhos de você. — Alistair continuou bajulando Jess e pareceu novamente interessado em sexo. Ela lamentou estar indisposta e disse conhecer outras maneiras de satisfazê-lo.

— Ideia animadora, mas adoro simplesmente fazer-lhe companhia.

Jess inalou o ar com força, numa resposta involuntária aos batimentos acelerados do coração. Sentiu-se afetada pela abertura mental de Alistair e pela própria vulnerabilidade à astúcia dele.

— Também adoro sua visita, principalmente sabendo que não veio em busca de sexo. — De fato, isso a surpreendia. — Mas entenda que não estou abrindo mão eternamente de tanta emoção!

— Foi você mesma quem propôs outras maneiras...

— Bem, não precisa se envergonhar — gracejou ela — por se mostrar digno de um afeto desinteressado quando estou impedida de...

Alistair ficou em dúvida.

— Está mesmo menstruada?

— Sim, e sangro bastante. Pena que não consegui engravidar.

— Ainda tem saúde para tentar... E se a culpa foi de Tarley? — Alistair olhou-a fixamente.

— Não. Teve filho com uma amante, antes do nosso casamento.

— Talvez não seja dele.

— Se visse o menino, teria certeza. É a imagem do pai.

Caulfield meneou a cabeça e dirigiu a atenção para a pasta de couro. Um calafrio tomou conta de Jess. O fim daquele relacionamento seria inevitável caso ele quisesse um herdeiro. Conformar-se com a esterilidade era mais fácil do que imaginar a perda da pessoa a quem se sentia tão unida.

Ele merecia aquela felicidade. Havia se apegado ao menino que caíra no convés e passava algum tempo ensinando-o a fazer nós e contando aventuras de marinheiros. Jess tinha testemunhado cenas desse tipo.

— Algum dia, você se tornará um pai maravilhoso — comentou ela, sabendo que atrairia o olhar pensativo de Alistair. Depois levou a mão ao pescoço, parecendo arrependida de ter abordando o assunto.

Ele respirou fundo.

— Nunca pensei muito na possibilidade de ter um filho. Agora é que não vou mais pensar sobre isso.

— Melhor não pensar assim. Estará se negando a ter uma das maiores alegrias da vida.

— Bem, a procriação requer um homem e uma mulher, e você é a primeira na minha lista e em meu coração. Sequer imagino um relacionamento íntimo com outra. Se a sua gravidez for impossível, que seja.

Tais palavras reforçaram a autoestima de Jess, além do afeto e da atração que nutria por Alistair, que a cada dia se revelava mais amoroso e mais sentimental com relação a ela. Como era habitual, seus olhos marejaram, criando certo embaraço. Rapidamente, ele ergueu-se da mesa, apanhou uma garrafa de clarete na prateleira e encheu meia taça de vinho para Jess. Então chegou bem perto, de modo a oferecer-lhe a bebida em um sussurro, com os lábios juntos ao ouvido dela.

— Isso vale uma comemoração?

— Não, perdoe-me — respondeu ela, recusando a taça. — Seria egoísmo da minha parte ficar alegre com uma renúncia pessoal dessa dimensão.

— Desejo e aceito que seja egoísta comigo — rebateu ele.

— O amor costuma ser egoísta — ponderou Jess, os olhos anuviados pelas primeiras lágrimas.

— Existem diversos graus para a manifestação desse sentimento. Nós dois temos muito a oferecer um ao outro — constatou Alistair, acolhendo em seu ombro a cabeça de Jess. — Você conta com uma irmã adorável, mas tem poucos parentes. Não sonha em ter sua própria família? Talvez um tratamento médico, desses modernos...

— Se vamos discutir isso, preciso de um gole de vinho — atalhou Jess, pegando a taça que descansava na mesinha. Alistair encheu outra para si. Ambos se sentaram frente a frente, contemplativos.

— Já notou, querida, que os traços de Masterson eram fortes em meus irmãos, enquanto eu me pareço com minha mãe?

— Isso é questionável, mas talvez Masterson não seja seu pai verdadeiro.

— E você não se importa com isso?

— Por que me importaria?

— Jess... — disse Alistair rindo, embaraçado. — Você é conhecida por seus princípios sólidos. Pensei que pudesse me menosprezar por conta dessa dúvida.

— De modo algum. Seus irmãos o menosprezavam? Ainda se sente ligado ao caçula, Albert?

— Nunca tive desentendimento com meus irmãos. Meu pai, porém... Jamais consegui agradá-lo. — A falta de inflexão na voz dele traiu emoções mais profundas. — Pessoalmente, já não me preocupo com isso, mas minha mãe se ressente.

— É ruim para Masterson, que perdeu o convívio com um excelente filho...

Alistair sorriu, satisfeito.

— Espanta-me esse seu desprendimento. Toda vez que lhe conto um segredo, você me apoia e me anima. Nada me fará abandonar você.

Jess sentiu uma onda de calor que pouco tinha a ver com seu estado físico.

— Alguém tem de mantê-lo livre de discórdias.

— E parece que somente você se encarregou da tarefa.

— Espero que sim, para seu próprio bem.

— É um alerta?

Jess adotou uma expressão meiga.

— Eu valorizo a firmeza de caráter e a lealdade, sr. Caulfield.

— Eu também. — Ansioso, ele tamborilou os dedos na mesa. — Antes, eu acreditava que Masterson amava de verdade minha mãe, daí ter me aceitado, apesar das dúvidas quanto à paternidade. Agora entendo que talvez a diferença de idade o tornasse incapaz de exercer a intimidade conjugal. Já no seu caso, não posso ficar cego à sua busca de amor e prazer. Prometo fazer tudo o que puder para satisfazê-la, pois gosto de manter o que é meu, sem dividir com ninguém.

Sempre existia na conduta de Alistair aquele lado possessivo, que a aborrecia por seu teor de cobrança. Abominava ser endeusada, vista como a mulher perfeita. Porém, para refinar o estilo dele, teria de lhe dar mais tempo.

— Você julga seus pais duramente, e com isso foge dos temas mais delicados.

— É o meu jeito de ser. Mas fique à vontade para discutir qualquer tópico comigo — pediu Alistair, quase se desculpando.

Era fácil demais assumir tal compromisso. Alistair conservava o comportamento aberto, que permitia a Jess desvelar suas dores ocultas. Benedict a havia tratado da mesma maneira, porém não a questionava. Dera-lhe afeição, mas sem juras de amor ou expectativas. As demandas de Alistair eram maiores e muito mais abrangentes. Só que isso fazia parte de seus limites de aceitação. Jessica aquiesceu ao pedido dele, que apontava para a folha de papel sobre a mesa.

— Uma carta?

— Para minha irmã, contando sobre a viagem até aqui.

— Mencionou meu nome? — Ele mostrou um brilho prazeroso no olhar. — O que disse a Hester?

— Oh, nada ainda.

— Por que tanto cuidado?

— Falta-me decidir como vou contar. Afinal, eu preveni Hester para ficar longe de você.

— Menina egoísta... — comentou ele, divertido.

Jess levantou-se e rodeou a mesa. Alistair a seguiu com um olhar de aprovação. Ela colocou uma das mãos no ombro dele e, com a outra, afastou uma mecha de cabelo que lhe caía na testa, aplicando um beijo ali.

— Agrada-me fazer isso — murmurou Jess, pensando no orgulho da família Masterson.

Alistair a prendeu pelo pulso.

— Imagino se faria o mesmo em Londres, rodeada por pessoas da sociedade que a censurariam por sua escolha.

— Acha que sou tão maleável? Tão facilmente sujeita a influências externas?

— Não sei — confessou ele, mostrando firmeza no olhar. — Julgo que você também não sabe.

Alistair estava certo, de certo modo. Em geral, Jess agira na vida em função do que era apropriado e esperado. Isso a ajudara a ter um bom casamento, mas não muito mais que isso. Assim, ela sentira um sopro de liberdade com a retomada de sua antiga paixão por Alistair Caulfield.

— Meu pai discordaria — defendeu-se. — Diria que é preciso um grande esforço para me convencer de algo.

Sentou-se no colo de Alistair e os braços dele a envolveram.

— Pensar nele e em como a tratou me incita à violência.

— Não vale a pena — ponderou Jess. — Além disso, de algum modo sou grata ao meu pai. As atitudes dele fizeram com que eu cultivasse uma segunda natureza, o que facilitou minha vida. — Ela repetiu o afago nos cabelos negros do homem. — Até agora, quero dizer. Veja como você acabou com meu treinamento em apenas uma semana.

— Quero ter você inteira. — Alistair não desperdiçou a chance de exprimir novamente suas intenções.

— E já não teve? Não gostou? — Esse era o modo de Jess espicaçá-lo. Sentia-se cada vez mais livre diante dele, passando a duvidar que Caulfield a aceitasse como era. — Esfriei seu interesse por cair tão facilmente em seus braços? Sentiu falta de um bom desafio?

— Você me desafia a todo momento, Jess. E me amedronta. — Ele pousou a cabeça no vão dos seios dela. — Planejei não depender de ninguém, mas veja como fiquei dependente de você.

Jess afagou-lhe o rosto. Deveria ter previsto que um homem como aquele, que nunca fazia nada pela metade, lhe daria sua afeição com tamanho abandono. No entanto, não tinha esperado que ele se comprometesse assim, quando parecia ter outras escolhas.

— Confesso que estou aterrorizada. Tudo mudou muito depressa.

— E isso é tão terrível? Era feliz antes? — interpelou ele prontamente.

— Bem, não era infeliz.

— E agora?

— Não me reconheço. Quem é a mulher que se senta no seu colo e lhe oferece favores sexuais como se oferecesse uma xícara de chá?

— É a minha mulher, e eu a adoro.

— Ingênuo! — disse Jess, apoiando o queixo na testa tão próxima. — Sua mãe o amou muito, Alistair? É por isso que tem a preocupação paternal de cuidar de mim?

— Amou, sim, apesar de ter sofrido durante a gestação.

— Ela gostaria de ter netos?

— Isso é responsabilidade do meu irmão. Ele deve cuidar disso.

— E qual é a *sua* responsabilidade? — ela quis saber, apertando-lhe a face com os dedos.

— Ser a desgraça da família corrompendo viúvas bonitas e levando-as a pecar.

Jess beijou-o nos lábios.

— Anseio por vê-lo seguir a trilha que traçou para si nos últimos anos.

— Que dupla nós formamos! — comentou Alistair. — A viúva alegre e o libertino recuperado!

Jess sentiu uma pontada no estômago que lhe dizia que era tempo de enfrentar a brutal realidade de sua ligação com Alistair. Muita coisa havia acontecido em pouco tempo, e ainda existia um longo caminho até ter certeza de que deveriam continuar juntos. Nesse ínterim, ela seguiria o comando dele. Caso o destino lhe reservasse uma felicidade temporária, que assim fosse. Era tarde demais para recuar.

Ela deu um beijo na ponta do nariz de Alistair. — Agora vamos voltar ao vinho — propôs, sem levar em conta as famosas consequências.

16.

ERAM QUASE TRÊS DA TARDE. TÃO LOGO PISOU no degrau de entrada do Clube Remington, Michael Sinclar foi abordado por um condutor de carruagens, que trazia o chapéu nas mãos.

— Com licença, lorde Tarley, minha patroa lhe pede um minuto de atenção.

Observando, Michael percebeu atrás do cocheiro o elegante veículo estacionado, com as cortinas fechadas. Ele vibrou de expectativa. A janela abriu-se um pouco. A ocupante misteriosa poderia ser alguma debutante atrevida, mas preferia que fosse Hester. E era.

— Michael. Entre, por favor — pediu ela enquanto segurava um lenço, o que cortou o sorriso dele. O perfume feminino impregnava o interior da carruagem. A luz vinda da rua reforçava a sensação de ilícita intimidade que o dominava. Ele reparou no lenço, semelhante ao que ganhara de Hester anos antes, em sinal de verdadeira estima. Quase uma existência inteira se passara desde que tinha desfrutado aquela atração juvenil.

Mal sentou-se, ela disparou:

— Será que consigo fazê-lo desistir da luta? — O tom sério destoava de seu habitual bom humor.

— Por que se inquieta com uma simples disputa de boxe entre cavalheiros? — Por um feliz segundo, Michael pensou que Hester se preocupava mais com ele do que com o marido, Regmont.

— Não importa quem ganhe, isso não terminará bem — insistiu ela, esfregando as mãos enluvadas que repousavam no colo. — Regmont provavelmente começará o confronto de forma digna, de acordo com as regras, mas logo sua índole violenta virá à tona. Se isso acontecer, você terá de redobrar o cuidado.

Se soubesse por Hester que o adversário escondia alguma arma de fogo, Michael não ficaria tão espantado.

— Está me dizendo que ele não lutará de maneira limpa?

— Jamais contaria isso a outra pessoa a não ser a você. — A jovem senhora ergueu o queixo, como a sublinhar sua dignidade. — Acho que continuará sendo um cavalheiro no ringue, mas Regmont é perfeitamente capaz de apelar para recursos desleais.

— Como assim? Ele já agrediu você? — Michael mostrou-se incrédulo.

— Preocupe-se com você — emendou Hester antes de estender-lhe o novo lenço, mas recolheu-o quando Michael fez menção de pegá-lo. — Prometa me visitar em casa, se quiser ganhar este presente.

— Chantagem… — murmurou lorde Tarley, sentindo o sangue esquentar com a tentativa de evasão da amiga.

— Só um pouco de coação — corrigiu ela. — Quero ver com meus próprios olhos se você não ficou ferido.

Hester se equivocava ao prever que Michael não reagiria com ferocidade caso recebesse golpes baixos. Além de o clube fornecer um fiscal, ele possuía desde jovem vasta experiência com lutas livres, sobretudo contra o forte e astucioso Alistair Caulfield. Mesmo destreinado, tinha boas chances de vencer. Cerrou os dentes, indeciso quanto ao que fazer.

— Prometo visitá-la — cedeu por fim.

— Antes que se passe uma semana — completou ela, certamente pensando no prazo necessário para curar possíveis ferimentos. Michael saltou do coche enquanto Hester balançava o lenço como um troféu. — Não se deixe enganar pela idade e pelo peso dele! — ainda gritou ela.

De novo na escada, Michael deparou com o conde Westfield, um solteirão que devia sofrer as mesmas atenções matrimoniais que ele. Parecia ter ouvido a voz aguda da mulher na carruagem.

— Interessante — comentou. — Ainda bem que apostei em você.

— Verdade? — Esse era um apoio importante, dada a projeção social do conde.

— Fui um dos poucos — o conde atalhou de modo decepcionante. — Regmont é mais baixo do que você, por isso pode se esquivar com mais facilidade. Como dizem os outros apostadores, você se cansará antes dele.

— Trata-se apenas de esporte, Westfield — disse Michael, agora surpreso com o bom número de espectadores sentados que esperavam o confronto na arena.

— Nem tanto — rebateu o conde. — Regmont tem praticado muito e luta no estilo furioso de quem só pensa em vencer.

Michael esboçou mais um sorriso, porém retraiu-se. Resolvera levar em consideração as opiniões e os conselhos que vinham lhe dando. Deveria ter treinado um pouco no seu velho saco de pancadas, mas nem se dera ao trabalho de pendurá-lo. Não era a dor física que temia. Por seu íntimo, passou a sombra de uma humilhação: ser abatido por alguém mais velho e mais franzino. Havia imaginado que, após os primeiros socos exploratórios, derrubaria Regmont com um cruzado impiedoso, cheio de ódio pela frustração de não poder ter Hester a seu lado e em sua cama. Aliás, apenas isso lhe bastaria como punição pela mocidade fútil.

Para sorte dele, porém, Regmont desabou inconsciente no tablado um minuto depois de iniciada a partida.

— É difícil me concentrar com você me olhando dessa maneira — queixou-se Alistair, sentado à mesa em que estava seu material de trabalho. Tinha tirado o paletó e esticara as pernas debaixo do pequeno móvel.

Da cadeira em frente, Jess admirava suas feições.

— Não se importe comigo.

Era uma tarefa impossível de atender. Os traços bonitos, os braços fortes, a eterna malícia estampada nos olhos e na curvatura da boca, os cabelos revoltos pelo vento, nos quais ela ansiava por colocar as mãos...

Jess decidiu subir ao convés, levando seu trabalho de tricô, mas certa de que em alguns minutos Alistair a seguiria. Ali, o tempo estava um pouco frio, a ponto de ela precisar usar um xale, mas ainda assim agradável. No prazo de meia hora, Caulfield apareceu, já de casaco, e sentou-se a um banco, portando uma de suas pastas. Guardou certa distância dela, mas a fitava com frequência, feliz com a demonstração de que, para ele, Jess valia tanto ou mais que seus negócios. Sob o olhar intenso do amante, fatigada, ela guardou linhas e agulhas em uma cesta, inclinou a cabeça de lado e cochilou. Sem demora, soou um leve ronco.

— A impecável lady Tarley acaba de roncar bem na minha frente? — interrogou Alistair, amenizando o comentário com uma risada.

— Damas não roncam. — Desperta com o susto, Jess estranhou que, como amigo, ele desse tanta atenção a um detalhe de etiqueta. Poderia felicitar-se, porém, pelo convívio sucessivo com dois homens que a aceitavam tal como era. Não pela mulher bem-educada que sempre fora, mas pela amante calorosa e desinibida que nela se ocultava.

— Você é livre para produzir os mais incríveis sons que quiser — acrescentou ele, sem deixar de rir.

Era uma declaração provocativa, pois fazia menção aos seus ruidosos orgasmos. Jess completara uma semana sem fazer sexo com ele, e agora que sua menstruação tinha cessado, ansiava por um momento de amor total.

— Vai ficar aí me espiando? — provocou ela.

— Por um bom motivo. Você tem mantido distância de mim e nada posso fazer além de olhar.

A fim de exibir poder, Alistair voltou a examinar seus documentos.

Sorrindo, Jess levantou-se e recolheu a cesta.

— Aproveite bem o resto da tarde, sr. Caulfield. Vou me deitar para um bom cochilo antes do jantar — ironizou Jess.

De volta à cabine, Jessica deparou com Beth arrumando suas roupas no armário.

— Por acaso foi destratada pelo sr. Caulfield? — Beth quis saber. — Tem uma expressão vingativa no olhar. Fico com pena dele.

— É outra coisa. Talvez desejo irrealizado.

— Então continuo tendo pena dele, mas de um modo diferente.

A observação da criada alargou o sorriso de Jess. Bem vivida, Beth devia suspeitar do que ocorria durante as horas de abandono da exigente patroa nos braços do amante.

O único temor de Jess diante do comentário da serviçal era que tanta felicidade durasse pouco e ela fosse incapaz de prender para si um homem como Alistair. Não que se julgasse sem valor, mas Caulfield poderia cercar-se de outras mulheres, mais valiosas. Mulheres capazes de dar a ele o que ela não podia: experiência de vida, espírito de aventura, fortuna, filhos... Por outro lado, ambos ainda eram jovens e Alistair ignorava os apelos dessas necessidades. Talvez levasse alguns anos até ele tomar ciência delas e optar por um matrimônio formal e criar herdeiros.

Ao tirar o xale, Jess revestiu o rosto de sobriedade. Caberia a ela fazer tudo de forma correta e responsável a fim de assegurar a continuidade daquele relacionamento.

As batidas inconfundíveis de Alistair soaram à porta da cabine. Beth foi abrir e aproveitou para retirar-se, como convinha. Jess piscou forte, antevendo a concretização de seus desejos. À entrada dele seguiu-se o som seco de uma grande pasta de couro sendo depositada no chão. Erguendo os olhos, Jess reconheceu o volume típico sob as calças de Caulfield. Deslizou os dedos por ali e retribuiu com intensidade o beijo que recebia na boca, tomada de uma excitação abrasadora à qual Alistair prometia corresponder.

— Feiticeira... — acusou ele, passando a afagar-lhe o queixo e as faces com os lábios quentes. — Está me tentando.

— Não sei do que você está falando — gracejou ela, rindo.

— Posso esperar até que esteja em plena forma — murmurou ele, sem esconder o conteúdo sexual de suas palavras. — Quero fazê-la pagar por uma semana de abstinência.

— Já não estou indisposta. Faz dois dias — declarou Jess em tom contido, notando que Alistair mexia na pasta a fim de retirar dois ou três pedaços grandes de cartolina branca. Perdeu o fôlego quando ele os mostrou.

— Meu Deus! São impressionantes!

— O que me impressiona é sua falta de desejo por mim.

— Não seja absurdo. Uma mulher teria de estar morta para não sentir desejo por você. — As imagens que viu em seguida traziam sua figura bonita e sensual em lápis-carvão, uma delas nua, de corpo inteiro, e explicavam o que Alistair fazia no convés enquanto a contemplava fixamente. — É assim que você me vê?

— É assim que você é. Para homens viris e até para mulheres invejosas. Dois dias e não me disse nada! — Ele fingiu contrariedade, voltando ao tema recorrente daquele encontro. — Desenhei-a para controlar minha excitação.

Jessica, encantada, tocou os desenhos com a ponta dos dedos. Alistair a havia retratado com feições suaves e olhar caloroso. Ela nunca se vira assim, tão fascinante.

— Surpreendente — afirmou ela, distraída. — Como conseguiu traçar figuras com essa qualidade enquanto se sentia alterado pela excitação?

— Não brinque. Se não me quiser aqui e agora, não respondo por meus atos.

— Outro absurdo. Provei que desejo sua companhia tanto quanto o prazer que me proporciona. — Jess respirou fundo e colocou os desenhos na mesinha, emocionada com o talento até então desconhecido de Alistair. — Sou menos misteriosa do que as cartolinas sugerem. Não guardo o coração nas luvas... mostro-o no rosto para que todos vejam.

— Dispenso que me diga isso. Procuro agir da mesma maneira que você — retrucou ele, aproximando-se.

— Não é bem assim. — Jess o fitou firme, mas serena. — Olha para mim como um felino pronto para atacar a presa. Enquanto eu me derreto de prazer, você permanece vivo e esperto.

— Acha que não me entrego o bastante? Bem, eu vibro com o sexo, mas isso não significa que deixe de ser delicado com você — Alistair defendeu-se bravamente. — Sempre espero que perceba minha excitação em outros lugares que não o rosto.

— Sim, percebo. — Isso era inegável. Os próprios desenhos tinham revelado um homem mais amoroso e sentimental do que ele dava a parecer na cama, apesar do desempenho soberbo. Na verdade, ambos tinham controlado os impulsos para cair em uma espécie de sessão de queixas e reclamações. Mas o diálogo era produtivo, por isso prosseguiram.

— Aquela noite no coreto... — lembrou ele.

— Como pode ter de mim uma imagem tão forte e duvidar da minha paixão por você? — questionou Jess.

— Juro que está me pondo maluco. Nega-me maneiras de mostrar minha conexão com seu corpo só para provar a profundidade do seu afeto?

Jessica mostrou-se ofendida.

— Você tem sangue quente. Fazer sexo é como comer e dormir.

A insaciabilidade dele tinha sido estabelecida desde a primeira relação com Jess, e ajudava a explicar por que ele usara essa aptidão para se prostituir. Para ela, no entanto, sexo sempre fora um ato íntimo e passional. Alistair dependia mais da saúde física que do estado emocional. Isso não equivalia a dizer que Jess se sentisse pouco valorizada quando dividia a cama com ele. Caulfield se utilizava do ato sexual para alcançar objetivos que ela não compreendia por inteiro.

Volta e meia, Alistair clamava que vender o corpo tinha sido uma necessidade. Jessica acreditava nisso, mas não pelas mesmas razões. Jovem e bonito, ele poderia conseguir outros meios de obter dinheiro sem mercadejar seus dotes. Aquela solução amoral, pensava Jess, devia-se a um pai ausente e tirânico, ou a qualquer outro fator distanciado de princípios éticos, mas sempre ligado ao interior dele, não ao seu lado externo.

Como rufião, Alistair medira o próprio valor pelo preço que as amantes ocasionais lhe pagavam por uma dose de prazer. Daí sua inclinação a demonstrações de potência sexual, mais que de respeito e carinho. Havia estimulado a troca de segredos particulares entre ele e Jess, porém continuava necessitado do toque e da sensualidade dela para sentir-se desejado.

Como era seu costume, Alistair a abraçou por trás, dobrou-a sobre a mesinha e a fez sentir seu membro rijo no lugar visado, entre as pernas.

— Chega de tortura — disse ele. — Estou impaciente.

Jess teve de pedir-lhe para ter calma, dizendo que sua intenção não havia sido aquela, embora seu corpo já reagisse à agressiva proximidade de Alistair.

— Pessoalmente, fiquei tocada no fundo do coração por seus desenhos e pelo talento que nunca confessou possuir.

— Não se sentiu tocada em outro ponto do corpo? — provocou ele, após beijá-la na nuca e pressioná-la pela cintura contra a própria virilha.

Por um momento, Jess cerrou os olhos e absorveu o calor e o perfume que exalavam dele. O que menos faltava a Alistair era desejo, puro e intenso desejo. Isso forjava nela uma volúpia capaz de levá-la à entrega total, incluindo a fantasia de sugar-lhe o membro lentamente.

Alistair estremeceu ao puxá-la para a cama e começar a despi-la. Também se desfez das roupas e de certo modo exibiu-se para Jess, mostrando-lhe seus dotes viris. Talvez fosse o trunfo com o qual contara na mocidade.

— Eu desejei você desde que o vi no coreto — admitiu Jess, molhando os lábios. — A cada hora mais.

Os olhos azuis de Alistair escureceram de tensão.

— Mas você pode ter a mim a hora que quiser.

— E como vou me distinguir das outras mulheres que o desejaram, a menos que lhe prove querer mais do que seu corpo?

— Que outras mulheres? — Alistair sorriu, feliz com a própria ironia.

— Toque-me onde preferir — pediu ela, suspeitando que assim se contradizia.

— Ainda não. — A recusa de Alistair, imprevista, a agitou com mais força. Não costumava pedir-lhe nada, quase sempre alheando-se das iniciativas, pois ele gostava de dominá-la e de assumir o comando.

— Por quê? — ela ousou perguntar.

— Quero vê-la arder de vontade antes de possuí-la.

— Acho que quer me castigar — disse Jess, mordendo o queixo dele, já suado. Então Alistair tomou-lhe o rosto entre as mãos.

— Não. Há pouco, você desprezou o sexo entre nós. Tem de devolvê-lo ao trono.

— Está se esquecendo de que o recebi aqui com a finalidade de devorá-lo... — contestou Jessica.

— Deve pensar que sou tolo! — protestou ele.

— Claro que não. Na verdade, você tem uma mente brilhante.

— Ah, é? — Com a ponta do polegar, ele acariciou toda a extensão dos lábios dela. O toque aparentemente casto acabou de incendiar a disposição lúbrica de Jess, desejosa de sentir-lhe as mãos por todo o corpo.

— Você vem me ensinando a fazer amor como se deve, e eu me considero uma boa aluna. — Com os dedos, Jess beliscou os bíceps firmes de Alistair.

— Logo na primeira vez — sussurrou ele —, compreendi a diferença entre o que eu achava ser sexo de qualidade e quanto me faltava para me julgar mestre no assunto. Agora, nem consigo me lembrar de como fazia antes de ficar com você.

Absorta naquele jogo erótico, Jessica prendeu Alistair sobre si, cruzando as pernas nas costas dele. Temia que ele escapasse, mudando de posição.

— Preciso disso — afirmou ela. — Você me fez precisar.

— Antes, eu não pensava no orgasmo como sendo algo estritamente pessoal. — Logo corrigiu-se: — Algo a dois, quero dizer.

— Por favor, comece...

A onda mútua de desejo explicava aquela série de gentilezas após a troca de farpas. Jess procurou com os dedos o membro de Alistair, apertando-o até a fronteira da dor. Ele não protestou, pois a sensação era agradável. Sentiu-se violentamente rígido bem na hora em que Jessica não escondia mais estar em chamas. Ao levar os lábios dela até sua virilha, Caulfield sabia que a fazia se sentir especial, desejada, e ao mesmo tempo segura. Garantiu-lhe a liberdade de criar afagos incríveis com a boca, certo de que a intimidade de Jess também estava vermelha e sedosa, pronta para o deleite que só ele podia lhe dar. Com os dedos, notou a umidade dela.

— Está molhada para mim — comentou ele satisfeito.

— Nada posso fazer.

— Nem quero que faça.

— Sem aviso prévio, Alistair levantou as pernas de Jess, preparando-a para a penetração. Ela gemeu à espera do ato, abrindo-se o mais que podia. Sentiu o atrito em seu clitóris rosado e úmido, saudando-o como o maior prazer do mundo. Entre gemidos, experimentou a cada centímetro a lenta e excruciante atividade daquele homem dentro de si.

Inesperadamente, Alistair levou a mão direita dela até o seu coração, que batia acelerado. Sem dúvida, devia estar perto do auge. Ela mal conseguia aguentar-se na mesma posição. Respirando com dificuldade, mexeu os quadris em busca do próprio clímax. Nada foi tão aliciante quanto sentir o membro masculino até a raiz. Isso a manteve imóvel, na expectativa.

— Viu? Meu coração bate por você, Jess. Por você inteira, de corpo e alma, não só pelo prazer que me proporciona.

Os dedos de sua mão livre acariciaram os cabelos pretos de Caulfield. Ela queria dizer algo, *qualquer coisa*, mas sua garganta estava fechada.

— Se eu pudesse — continuou ele —, ficaria assim indefinidamente, como uma parte de você. Não quero terminar. Porque se tudo o que eu buscasse fosse o alívio de uma necessidade natural, como comer ou dormir, então já teria acabado.

Movendo a cabeça, Jessica o beijou com desespero enquanto chegava ao fim da relação.

— Diga-me que entendeu — pediu Alistair, dominando os lábios dela com os seus. — Diga-me que também sentiu um prazer maravilhoso.

— Eu senti *você* — murmurou ela, inebriada pelo jorro da seiva masculina. — Você se tornou tudo para mim!

Abraçando-a com força, Alistair deixou-se desabar na cama ao lado dela.

17.

ALISTAIR NÃO SOSSEGOU. A EREÇÃO PARCIAL O agitava. Logo começou a tocar Jess de modo a provocá-la a repetir. Chegou a passar a glande pelas partes íntimas dela. Mas Jess não queria, ainda não, pois estava sob os efeitos retardados do primeiro orgasmo. Afastando-o, cobriu-se com o lençol.

— Não? — questionou ele, contendo sua admiração pelo corpo nu de Jess.

— Espere mais um pouco e eu é que irei possuir você — antecipou ela.

Alistair estremeceu. Jess consumiu um longo momento a fim de espiar a perfeição do físico masculino. As formas dele por si a excitavam. Quando os olhares se encontraram, ela já estava ofegante e cheia de vontade diante da nova rigidez dele.

— Você é estranho — murmurou Jess, livrando-se do lençol e envolvendo os quadris de Alistair com os braços. Em seguida, deu-lhe um beijo no peito, na altura do coração.

— E todo seu, não se esqueça.

O abraço de retribuição foi tão forte que quase tirou o fôlego restante de Jess. Ela aninhou a cabeça no colo de Alistair, inalando seu perfume estimulante. Sentiu-se ansiosa em função de uma suspeita: seus receios estavam afetando Caulfield a ponto de ele desejar prendê-la a si o tempo todo. Nada a censurar, para quem soubesse como ela já se ancorava naquele homem de corpo e alma. Mas Jess ainda não tinha plena consciência disso.

— Gostaria que você me elogiasse com mais frequência — disse Caulfield em tom honesto, mas vulnerável.

— Não sei como fazer isso. Se for pelo desempenho... — Ela soltou o peso sobre Alistair, que estava deitado.

— É impossível que se engane. — Ele beijou o ombro de Jess, depois mordiscou-lhe a ponta da orelha, em mais um carinho excitante. — Costuma elogiar Tarley, mas nunca falou sobre sua afeição por ele.

Era uma verdade difícil de assimilar.

— Esse é um assunto superado, que sempre pairou entre nós, porém não incomodou.

— Sinto que preciso saber mais — reinvindicou ele.

— Falhei nesse ponto, confesso. É que meus sentimentos por você me assustam, e julguei que as confidências sobre minha vida de casada também o assustariam.

— Pode falar livremente dos seus receios como eu faço. Tem o meu aval.

Jessica cerrou os olhos, convicta de que muito lhe faltava aprender sobre Alistair. Tinha um conhecimento superficial dos eventos que lhe moldaram a vida, mas nunca o questionara da mesma maneira que era questionada. Não gostava de intrometer-se, mas precisaria quebrar essa conduta a fim de deixá-lo inteiramente feliz.

— Vou tentar qualquer dia desses. Invejo a facilidade com que você fala do passado, dos seus problemas íntimos ou familiares.

Ele a livrou do que restava do lençol sobre seu corpo. E então afagou-lhe os seios com evidente paixão.

— Você teve... — Jess, engoliu em seco. — Teve alguém de quem realmente gostou?

Mudo, Alistair retraiu-se diante da pergunta. Jess não insistiu, ao notar que ele aguardava com ansiedade uma definição prática.

— Fique deitado — ordenou ela, vendo-o sorrir de satisfação.

Devagar, ele ajeitou os travesseiros sob a cabeça e esticou as pernas. Reclinado, tocou-se na virilha a fim de tornar sua ereção irresistível. Jess adorava observá-lo assim, mas sua curiosidade falou mais alto do que a fantasia.

— Quem era ela? — perguntou, repentinamente com ciúmes dos amores passados de Alistair.

— Por que tem tanta certeza de que existiu alguém?

— Você não começou sua experiência sexual na pele de Lucius, portanto não sou a única mulher que conheceu você intimamente como Alistair. — Para compensar, Jess subiu nele e encostou a própria virilha no membro firme.

— Assim você está me machucando — reclamou ele. Jessica não estava quente nem úmida para ele, mas sabia que Alistair não demoraria em deixá-la pronta. Esquivou-se quando ele tentou virá-la de costas na cama.

— Fique quieto, deitado. Deixe tudo comigo — ordenou.

— Droga, Jess... — protestou Alistair. — Depois de sete dias de abstinência deixe seus joguinhos para mais tarde. Juro que estarei mais receptivo.

Ela o beijou gentilmente no pescoço, respirando fundo para aquecer--lhe a pele. Depois procurou a melhor posição para montá-lo. Alistair tentou ajudá-la, segurando-a pelas nádegas.

— Não. Sem nenhum toque.

— Se não tocá-la, como vou satisfazê-la?

— Eis a questão. — Ela ignorou o argumento e, assim que sentiu a penetração, iniciou graduais movimentos de rotação e de subida e descida dos quadris. Alistair pouco resistiu. Entre gemidos de prazer, enterrou o rosto suado no vão dos seios de Jessica. Avisou que estava perto do clímax, mas ela sabia como adiá-lo; retesando os músculos das coxas, moveu-se de modo a assegurar maior atrito do membro com seu clitóris.

— Estou quase! — exclamou ele.

— Ainda não. Você prometeu. Faça uma pausa até que *eu* o leve ao nirvana!

— Céus, o que está fazendo comigo, Jess?

— Relaxe e aproveite. Quero ver você chegar lá.

Alistair descansou a cabeça nos travesseiros e fechou os olhos. Sacudiu os braços na intenção de ganhar tempo. A flexão dos bíceps excitou Jessica ainda mais. Chegada a hora, como indicava a pulsação do órgão masculino, ela inclinou-se e beijou-o nos lábios, mesmo que perdendo o contato pleno. O orgasmo compartilhado foi poderoso, tanto que os dois se abraçaram e se tocaram de todas as formas. Jess ainda utilizou a boca para recolher as últimas gotas de seiva vital. Seus seios túrgidos como que pediam em silêncio igual atenção. Jogou os cabelos lisos sobre o rosto de Alistair e, em seguida, baixou-os até a virilha, ciente de que tal carícia provocava nele um prazer indescritível.

Jess pareceu completamente realizada com o ato, a ponto de dispensar repetição quando ele a estimulou com a língua. Alistair estava menos satisfeito que ela, talvez por ter desempenhado um papel passivo, o que era contra sua índole, talvez por ver-se invadido por uma onda de ciúme: como e quando Jess havia aprendido a fazer tudo o que fizera? Ela tinha confidenciado muito pouco a respeito de sua vida íntima com o marido. Mas sem dúvida Tarley lhe servira de mestre nas artes sexuais. Dificilmente, devido aos seus princípios, ela teria se aventurado com outro amante.

— Jess... — chamou Alistair com a voz rouca, voltando a ficar imóvel na cama. — Você é tão bonita, tão sensual...

E totalmente vulnerável, aberta a sensações novas, refletiu ele. Emoções conflitantes — êxtase, afeto, raiva — vagaram pela mente de Alistair, que pensou ter escutado dela um "Eu te amo", mas não tinha certeza. Embora a fantasia andasse solta, aproximava-se o instante em que ambos teriam de assumir seus sentimentos. Quando aconteceria esse quase milagre? Ele sabia que Jess prezava muito seu poder feminino de sedução. Também sabia que as mulheres em geral, na hora da excitação, diziam coisas das quais se arrependiam depois. Se fosse o caso, por que ela não repetia, em alto e bom som, aquelas três palavrinhas mágicas? Lembrou-se da pergunta feita por ela antes do sexo. Por uma questão de sanidade mental, decidiu responder. Ao menos se distrairia da tempestade emocional que o assolava.

— Comecei minha experiência sexual assim como faz a maioria dos adolescentes: com uma garota suficientemente bonita e oferecida.

— Meu Deus! — Jessica reagiu rindo. — Pensei que as meninas se atirassem em cima de você sem o menor constrangimento.

Era verdade, mas Alistair nada disse a esse respeito, evitando mais uma ressalva de Jess às suas atitudes.

— Meu irmão mais velho, Aaron, quis me levar a uma festa. Eu tinha quase quinze anos e sonhava em ser tão sociável e conquistador quanto ele. Fomos parar na casa de uma dama da corte.

— Com catorze anos?

— Quase quinze, e não muito inocente. Lembre-se de que minha mãe teve de explicar por que Masterson não suportava nem olhar para mim.

— Acho que era a única pessoa no mundo capaz disso — comentou Jess, recebendo no rosto um toque suave de Alistair.

— Havia uma cortesã, uma *mundane* na festa. Nossos olhares se cruzaram. Ela era loura e magra, com pálidas íris azuis. Aparentemente delicada.

— Oh! Ainda bem que eu correspondo às suas velhas preferências... — interveio Jess, contente.

— Na verdade, minhas preferências foram estabelecidas há duas semanas, quando reencontrei você. Naquela ocasião, foi obra do acaso. — A declaração de Alistair deixou-a confusa. — Bem, não era uma pessoa refinada, mas experiente com novatos. Servia-me perfeitamente, porque eu não tinha de gostar dela para possuí-la. Foi um acordo ideal. Ela me ensinou tudo sobre sexo e prazer, inclusive a me prevenir contra o envolvimento emocional.

A crueza do relato impressionou Jess.

— E funcionou?

— Até certo ponto. — Alistair deu de ombros. — Um dia me apresentou uma colega que a visitava, outra cortesã. Propôs que eu satisfizesse as duas, o que eu fiz.

Ela o abraçou a fim de confortá-lo.

— Quando lhe perguntei, só queria saber se tinha se apaixonado por alguém ao longo da vida.

— Bem, isso foi impossível. Eu estava prevenido, e aconteceu que uma relação única tornou-se duas — prosseguiu ele. — Às vezes, a loura delicada não participava, só ficava espiando. Chegou a trazer outro homem para o grupo, promovendo uma orgia.

— Por que não a abandonou e ficou em casa? — perguntou Jess, empalidecida.

— Em casa? Minha presença causava brigas entre Masterson e minha mãe, que não escondia sua infelicidade. Na época, o fato de dispor de uma ou duas amantes representava um alívio para meu drama doméstico.

A voz de Alistair soava convenientemente neutra, mas Jess reconheceu a emoção escondida por trás. Beijou-o de novo e alisou-lhe o ventre com a mão.

— Eu não devia tê-lo pressionado tanto. Desculpe-me.

Alistair resmungou.

— Não aceito desculpas por me proporcionar os melhores momentos de toda a minha vida.

— Melhores até agora — corrigiu ela, tomando-o pelos ombros. — Mas entenda: você não precisa recorrer ao sexo para me mostrar seus sentimentos, atuais ou passados. Aquela cortesã loura foi a única mulher com quem se preocupou?

— Como se pode chamar aquilo? Ambição? Volúpia? Entrei cedo demais no mundo da devassidão, daí ter me transformado em um explorador de mulheres, bloqueando o sentimento de amor.

— Não deve se envergonhar do que fez. Já passou, não? Hoje é um homem honesto, inteligente e muito sedutor. Entre as mulheres que teve, pelo menos uma ou duas se apaixonaram por você.

— Se isso for verdade, devem ter chorado muito. Minhas maldades superaram em muito os benefícios que proporcionei — disse Alistair, envolvendo o pescoço de Jessica com os dedos e massageando-lhe de leve a nuca, o que a acalmou na hora.

— Eu já conheço você bastante bem. Estou enamorada e não me arrependo. Isso lhe basta?

Alistair horrorizou-se com o tremor que o abalou. Jess havia entrado em sua pele, em sua alma, capacitando-se a enxergar as diferenças entre seu interior e seu exterior. Melhor que não as visse.

— Acho que não sabe do que fala — rebateu ele com frieza.

— Pode confiar em mim. — Jess o abraçou suavemente, mas o atrito de seu corpo como que dava a Alistair permissão para avançar.

Na verdade, ele sentiu-se tentado. Havia feito coisas na vida que o tornavam inaceitável para uma mulher como Jess. Sua própria origem bastarda constituía um empecilho para o transbordamento de uma paixão profunda, que poderia ser confundida com amor. Jess tinha sofrido muito até se transformar na mulher impecável, fina e elegante que era.

Com sua corte baseada em sexo, Alistair poderia destruir até mesmo o afeto que os ligava. Se fosse capaz, manteria aquela mulher cativa na cama, único lugar em que ele se libertava das más lembranças e levava Jess, por efeito do prazer compartilhado, a esquecer o próprio passado deplorável. Alistair já percebera algo essencial, no entanto: ela necessitava de ternura e proteção, enquanto ele agia como uma lança mortal contra as defesas que ela havia erguido em decorrência das agressões sofridas pelo pai durante a infância.

— Confio em você, creia-me — disse ele. — Não lhe contei tudo?

— Contou-me tudo de infame que marcou sua juventude. — Jess o olhou firme, mas estava triste. — E falou isso em tom de desafio, como se quisesse me afastar de você.

De fato, inconscientemente, Alistair havia se portado como quem desejava um rompimento. Quanto antes viesse, melhor. A cada dia, Jess se tornava mais e mais indispensável na vida dele. Logo, não conseguiria nem respirar sem estar perto dela. Já experimentara tal sensação algumas vezes.

Ela beijou um canto da boca de Caulfield, depois o outro.

— Permaneça fiel e eu nunca o deixarei.

— É tudo que eu desejo — murmurou ele em tom grave.

— Então prove — foi a resposta de Jessica.

Como sempre, o desafio o estimulou. Alistair conhecia seus poderes; sabia abafar a própria consciência, gostava de ganhar dinheiro, era atraente e sedutor. Talvez fosse pouco para uma mulher como Jessica, mas ele lhe ofereceria isso com empenho passional, e rezaria para que fosse suficiente no sentido de mantê-la junto a si.

18.

HESTER PAROU NA SOLEIRA DO QUARTO E VIU O marido deitado, tentando adormecer. Era uma noite excepcionalmente quente em Londres e ele usava apenas calção de dormir. Ele a procurara todos os dias daquela semana em busca de alívio emocional e sexual. Hester o tranquilizara dizendo que, em breve, ninguém se lembraria da luta travada no Clube Remington, que lhe rendera uma cicatriz no queixo. Havia cansado de insistir nisso, sem, contudo, conseguir livrar o marido do tormento, e agora se censurava por ainda desejá-lo como companheiro, apesar das desavenças existentes entre ambos. O autêntico amor, esse agonizava. Por mais que lhe doesse, não admitia mais desperdiçar suas energias e afeições com um homem que não lhe dava valor.

Bem, agora tinha um filho crescendo no ventre que lhe tomaria todo o tempo, a atenção e o deslumbramento. E a Regmont não faltava potencial para ser uma pessoa maravilhosa. Na meia-idade, com as têmporas levemente grisalhas, continuava charmoso e viril. Hester suspeitava que ele não lhe fosse fiel, sobretudo durante as viagens a trabalho que fazia, por conta do negócio com pedras preciosas, quando talvez se encontrasse com amantes de ocasião. Mas era bondoso, ensinara a ela tudo o que sabia sobre as artes eróticas e sempre a satisfazia na cama. Por comodidade, dormiam em quartos separados, mas deitavam-se juntos a qualquer hora do dia ou da noite, de acordo com seus impulsos. Os aposentos privados dele, aliás, viviam atulhados de cordas, banquetas e aparelhos rústicos de ginástica, com os quais Regmont mantinha a excelente forma física. No entanto, guardava velhos rancores do próprio pai, por isso sentia-se incapaz de amar de verdade. Reagia a esses maus sentimentos por meio do que aprendera com ele: através da violência.

Hester já não encontrava desculpas para a conduta do marido, tipificada pela necessidade de manipulação e de absoluto controle sobre ela, desde as roupas até os alimentos. Também bebia em excesso durante as crises de consciência e tornava-se não só tirânico como inconveniente. Nessas ocasiões, agredia a esposa com tapas e pontapés; depois implorava por perdão e a presenteava com joias caras. Se aceitasse sua culpa, poderia mudar de comportamento. Mas quando? Até lá, acima de tudo, ela tinha de pensar em proteger o bebê que carregava dentro de si.

Inquieto, Regmont notou a presença de Hester no quarto. Virou a cabeça e sorriu-lhe, antes de sentar-se na cama. Apesar de despenteado, conservava as feições másculas e o físico juvenil. Ela atentou para o volume roliço que se formara sob o calção. Pensou em um ato íntimo e gratificante. Conteve-se, todavia, pois seria novamente a falsa solução para um problema real.

— Jantou bem? — indagou ele.

— Sim, e estou engordando.

— Por Deus, Hester... — Regmont ficou mudo e pálido. Não era a reação que ela esperava, supondo que o marido entendera tratar-se de uma gravidez. — Está contente? — completou ele.

— Claro que sim. Faço votos de que você tenha gostado da novidade.

Ele respirou fundo.

— Naturalmente. Perdoe-me, estou um pouco espantado. Cheguei a pensar que fosse estéril como sua irmã.

— É por isso que vem demonstrando raiva de mim? — Mais raivoso ele ficaria se soubesse como Hester se empenhara em evitar uma gestação durante todos aqueles anos. O pensamento a atordoou.

— Não comece outra briga. Não hoje — pediu ele, corando.

— Eu nunca começo — disse Hester de com voz calma. — Detesto discussões, como bem sabe. E na infância, vi atos de violência dos quais me lembrarei a vida inteira.

Os olhos azuis de Regmont brilharam perigosamente.

— Se não conhecesse sua índole gentil, diria que está me provocando.

— Por falar a verdade? — O medo acelerou seu coração, mas ela se recusou a desistir. — Cabe a nós dois, juntos, evitar conflitos, Edward.

— É que você não parece feliz por estar grávida.

— Mas ficarei, assim que tiver certeza de que o bebê está bem e saudável.

— O que está errado? — perguntou ele, preocupado, indo até a cadeira onde tinha deixado o robe. — Já falou com o médico?

— Venho tendo enjoos matinais, o que é bastante normal. O doutor disse que tudo progride bem até agora. Mas preciso cuidar para não me aborrecer.

— Claro, claro... — Um músculo no rosto de Regmont se retesou. — E precisa comer mais. Isso eu já lhe dizia antes.

— Sim, mas é difícil uma pessoa comer bem quando vive magoada — Hester identificou um leve tremor nos lábios do marido. — Com isso em mente, quero me retirar para o campo mais cedo. Você pode ir se encontrar comigo quando a temporada de Natal acabar.

— Você é minha esposa. — Edward deu um nó no cinto do roupão. — Seu lugar é ao meu lado.

— Compreendo, mas temos de pensar primeiro na saúde do bebê.

— Não gosto do seu tom — retrucou ele. — Até parece que estou pondo em risco nosso filho!

— Não você — mentiu ela. — Mas o álcool que ingere.

— Caso não tenha notado — Edward cruzou os braços —, parei de beber há três semanas. — Ele costumava abster-se por períodos mais longos, porém alguma coisa sempre o levava de volta à de bebida.

— Você não pode entender como excessiva qualquer preocupação com a criança.

— Você ficará aqui! — ordenou Regmont, caminhando até a porta que conectava os dois dormitórios. — E não quero ouvir mais nenhum absurdo da sua parte, como essa história de instalar-se na zona rural.

— Edward, por favor... — A batida da porta encerrou a conversa.

* * *

— Você está deslumbrante! — Elspeth elogiou o filho ao terminar de descer os degraus que levavam à saleta de visitas. — Vai conhecer alguma feliz debutante hoje?

Michael parou de arrumar a gravata e encontrou o olhar da mãe.

— Boa tarde, mamãe.

A simpática senhora, em um vestido floral que a fazia parecer mais jovem, arqueou as sobrancelhas ao vê-lo girar na mão o chapéu, sem dizer mais nada. Apressou-se em falar:

— Lady Regmont me ajudou a preparar uma lista de debutantes. Ela é perspicaz, bem relacionada e está muito ansiosa para vê-lo casado.

Michael resmungou algo. Seu paletó azul, de corte esmerado, parecia justo demais.

— Fico contente por vocês duas se darem tão bem. Foi bom a senhora procurá-la.

— Sim, e combinamos melhor do que eu esperava. A pobrezinha viveu sem a mãe por muitos anos, e com a viagem de Jessica, penso em tratá-la efetivamente como filha.

Michael entendia que as duas poderiam de fato ter convivido como mãe e filha por meio do casamento dele com Hester. O destino tivera outros desígnios para a vida dos dois, mas ele não se isentava da culpa. Havia falhado ao julgá-la. Ainda adolescente, Hester era ingênua, frágil demais para receber a corte de um homem como ele. Como nunca saía sem a irmã, o brilho de Jessica ofuscava seu temperamento faceiro e alegre, bem como encobria a beleza física que nela desabrochava mês a mês. Decidira aguardar até ter certeza de seu interesse por ela como noiva. Então Regmont surgira no caminho e espertamente arrebatara Hester para si, usufruindo-a desde muito jovem. Era uma vantagem, não um obstáculo, e Michael não se cansava de lamentar o erro. Precisava de alguém para amar. Assim, concordava que seu celibato devia chegar ao fim.

— E agora que ela engravidou... — disse Elspeth, surpreendendo-se com a reação intempestiva do filho, que apertou o chapéu até amassá-lo. Uma punhalada no peito não poderia ter doído mais.

— Controle-se, Michael. Sei que vocês tiveram certa afeição um pelo outro antes do casamento dela, mas...

— Já é passado, porém fomos tolos. Ela era muito nova; e eu, orgulhoso demais para me candidatar.

— Conforme-se, filho — aconselhou a mãe com ternura.

— Nós dois sabemos que Hester está fora do meu alcance.

— Só quero a sua felicidade — disse Elspeth. — Receio que sua antiga paixão por ela atrapalhe seu futuro casamento...

— De modo algum. É simples: conheço minhas responsabilidades. A senhora se encarrega de dar todo o apoio a ela.

— Pouco posso fazer, na verdade.

— Por causa de Regmont? — adivinhou Michael, sentindo-se revoltado.

— O modo como Hester reage à simples menção do nome dele... Já vi isso antes, e não é nada bom.

— Podemos reforçar nossa amizade. E rezar.

O mordomo abriu a porta e deu passagem à entrada de ninguém menos que a própria Hester, um tanto ofegante.

— Querida! — Elspeth se empolgou. — Você atrasou em uma semana a visita que me prometeu.

As duas se cumprimentaram e, em seguida, a senhora retirou-se a fim de providenciar chá e biscoitos, enquanto Michael dirigia a lady Regmont um olhar de apreciação. Ela deixou-se envolver pelo calor daqueles olhos, capazes de derreter os recessos gelados de seu coração.

— Já deveria ter saído, mas minha mãe sugeriu que eu esperasse um pouco — declarou ele.

— É uma mulher sábia. Gosto dela.

— A afeição é mútua — assegurou Michael, e Hester sentou-se à poltrona, alisando a saia, visivelmente nervosa. — Como tem passado? Estava ansioso por notícias, porque em nosso último encontro falei coisas que podem ter agravado sua situação em casa, com seu marido, causando um desgaste desnecessário.

— Estou bem, Michael — resumiu ela.

— Que bom! Ainda mais agora, com a gravidez... — comentou ele esfregando as mãos, sem saber onde colocá-las. — Veja, eu deveria ter deixado Regmont vencer a luta. Fui arrogante, não pensei em você e nos seus problemas com ele.

O antigo fascínio por Michael reviveu no íntimo de Hester, que se sentia mais viva na presença dele.

— Acho que pensou em mim, certamente. — Ela o percebeu mais tenso depois de escutar isso. — Prometeu à minha irmã Jessica dar-me assistência, mas sua missão não deve chegar ao ponto de tentar salvar meu casamento. De qualquer modo, sua atitude me comoveu.

— Você precisa de um campeão de pugilismo? — perguntou ele suavemente, inclinando-se na direção de Hester.

— Em algum lugar, existe uma princesa à sua espera, galante cavalheiro.

— Não gosto dessa espécie de charada. De que cor são os olhos dela?

— Não são verdes. — Antecipando-se a novos questionamentos, Hester complementou: — Cabelos claros, mas não louros. Seios e ancas firmes. Altura mediana. Quanto à elegância e à educação, terá de descobrir sozinho.

— Parece interessante. Mas sempre imagino achar alguém parecida com você.

Ela riu discretamente.

— Terá uma pessoa que irá adorá-lo, Michael. Você é fácil de amar porque se preocupa em proporcionar prazer e felicidade aos outros.

— E quanto a você?

— Minha maior alegria está a caminho — disse Hester, e tocou o próprio ventre, ainda pouco crescido.

Por que tinha ignorado, anos antes, os sinais de que Michael gostava dela? Havia se deixado cegar pelo charme e sensualidade que Edward Regmont sabia explorar tão bem. Por ocasião do casamento, estivera desesperada pela consumação da noite nupcial, excitada por alguns secretos toques anteriores, beijos e promessas de um deleite indescritível. O marido possuía atributos suficientes para cumprir com todas essas funções, mas com relação ao caráter dele, ao convívio diário, que deveria ser marcado por pequenos gestos de atenção e de carinho, sua vida conjugal era um desastre.

Hester levantou-se de repente e aproximou o rosto para dar um beijo na boca de Michael. Rápido e casto, e mesmo assim estimulante. Por pouco não foram flagrados pela criada que entrou na saleta, deixando uma bandeja com chá para dois. Intencionalmente, Elspeth não tinha aparecido, resolvida a dar ao filho e à visitante mais algum tempo a sós.

Ainda perplexo, Michael esperou que Hester voltasse à expressão normal e se sentasse depois de focalizar, sonhadora, o homem diante dela. Foi quando pediu detalhes sobre as preferências dele quanto a uma possível noiva.

— Dispenso uma lista, mas você pensa em mulher tímida ou voluptuosa?

— Proporcional ao momento.

— Algum talento especial, como cantar ou tocar piano? — Com gestos confiantes e graciosos, Hester serviu-se de chá e tomou alguns goles.

— Isso me é indiferente. Acho que não tenho tantas manias assim, porém confio na sua discrição.

Hester enfim o encarou, examinando-lhe a roupa.

— Devo dizer que poucos homens vestem azul com a sua elegância.

Os olhos de Michael cintilaram de vaidade.

— Ora, obrigado, milady.

O rosto dele hipnotizava Hester com infinitas possibilidades. No que pensava? Estaria de fato conformado com um casamento conveniente? Ou fantasiava com uma ligação mais íntima com ela, clandestina ou não? Por ele, Hester enfrentaria um divórcio rumoroso e um segundo matrimônio? Tudo se transformara, de repente, em uma grande interrogação: o bebê, o marido, a escolha de uma noiva para o próprio amado...

Paralisada na poltrona, ela temeu estar à beira de uma depressão, o que despertaria a fúria irracional de Regmont. Venceu o mau momento lembrando-se de um pormenor do passado.

— Dancei minha primeira valsa com você, lembra-se?

— Meus pés doem até hoje — gracejou Michael, deixando Hester levemente desapontada.

— Apenas segui seus passos. Não pode se esquecer disso. — Hester o escolhera como primeiro par em público porque confiava nele e sentia-se segura em seus braços. Sabia, por todos os antecedentes, que poderia sentir aflição e desejo enquanto dançava, porém Michael, sempre educado, não a levaria a sério nem lhe faria um convite indecoroso. No momento presente, isso talvez já não fosse algo digno de orgulho...

— Claro que não — murmurou ele depois de uma breve pausa. — Foi a única vez que a abracei e senti seu corpo perto do meu.

Hester agitou-se, ruborizada.

— Lamento muito. Pelo beijo que lhe dei, digo.

— Eu não. — Michael soou claro e firme, enquanto Hester fingia voltar a atenção para o chá. E se houvesse outro beijo, dessa vez arrebatado e sensual, como deveria ser? Michael não disfarçava um olhar ávido, promissor.

A porta se abriu novamente, revelando agora a figura afobada de Edward Regmont.

— Milorde — balbuciou Hester, o coração aos saltos. Por certo havia seguido a esposa até ali, como era seu comportamento habitual.

— Não aceito revanche — disse Michael com ácida ironia diante dos punhos cerrados do invasor. Olhou de esguelha para o queixo dele, onde se destacava uma cicatriz.

Embora nunca tivesse conhecido bem lorde Regmont, Michael estava certo de que ele havia mudado bastante com o passar dos anos. Lembrava-se de uma pessoa petulante, mas com a ressalva de exibir calor e afeição nos olhos quando olhava para a esposa quase adolescente. Agora já não havia qualquer ternura naquele olhar, apenas calculismo e suspeita.

— O que faz aqui, Regmont? — Michael surpreendeu-se com seu tom pouco agressivo diante do responsável pela infelicidade de sua amada Hester.

— Isso pergunto eu, futuro visconde de Tarley.

Michael deu de ombros, sem saber se Regmont zombava dele ou falava a sério, como marido supostamente traído. O importante era poupar Hester de mais um sofrimento.

— Estou na casa da minha mãe, que me solicitou uma visita. Também convidou sua esposa, que se dispôs a auxiliar na escolha de uma esposa para mim. Nada mais.

— Ah! Soube que lady Pennington tem visitado Hester com frequência. Então é por isso?

Pálida, com os olhos sombrios, Hester anuiu e acrescentou:

— A senhora condessa recorreria a Jessica, se minha irmã estivesse no país. Como não está, dispus-me a ajudá-la a conhecer as debutantes da temporada social.

— Muita gentileza sua, querida — comentou o marido —, mas não as encoraje demais.

O recém-chegado ocupou uma cadeira ao lado da esposa, que lhe serviu chá em uma bonita xícara de porcelana chinesa.

— Está apenas morno — queixou-se ele após o primeiro gole.

— Aceite minhas desculpas — Michael se manifestou, interiormente recompensado. — Sei que não sou bom anfitrião.

— E o que faziam antes de o chá esfriar? — Regmont inquietou-se em seu assento.

— Repassávamos uma lista com as possíveis qualidades de uma boa noiva para Michael — respondeu Hester depressa. Esperto, Regmont estudou o tampo da mesa, em busca de uma folha de papel. Felizmente, havia uma ali, deixada por Elspeth.

— Somente morenas e ruivas são as candidatas?

Em resposta, Michael moveu a cabeça afirmativamente e Regmont riu, rompendo a tensão crescente.

— As ruivas são mais jeitosas, Tarley. Pergunte a Grayson ou a Merrick.

— Gosto de mulheres espirituosas. — *Como era a sua esposa antes de você passar a agredi-la*, pensou Michael...

— Lady Regmont o colocará no rumo certo — o lorde maliciou de novo.

Michael desviou o olhar e deu as costas ao visitante, a fim de esconder seu ódio e desgosto. Se Benedict, visconde de Tarley e marido de Jessica, ainda estivesse vivo, ou daria um jeito naquele sujeito abusado ou poria Hester em um navio com destino para bem longe dali: a América, por exemplo. De um modo ou de outro, ela não ficaria presa em Londres nas garras de um homem detestável como aquele.

Na verdade, Michael e Hester levavam ambos uma vida infeliz, oposta a tudo o que desejavam.

E parecia não haver saída para nenhum dos dois.

19.

O NAVIO APORTOU NA CAPITAL DA JAMAICA E, no convés, Jessica alterou o ângulo do para-sol a fim de ver melhor o homem corpulento que acenava freneticamente enquanto subia a prancha de embarque.

— Seu administrador — explicou Alistair, que caminhava ao lado dela. — Reginald Smythe.

— O que pode me dizer sobre ele? — Ela ergueu a mão na direção do funcionário que tanto se esforçava por chamar-lhe a atenção.

Havia intensa atividade no cais. Os aromas de alcatrão e de café se confundiam, irritando-lhe as narinas, e os gritos das gaivotas se misturavam aos dos estivadores.

— Sujeito correto e com certeza competente. Calypso possui quase duzentos escravos, mas bem tratados, e por isso altamente produtivos. Mas Reginald ainda é antiquado quanto à presença de mulheres no mundo dos negócios.

— E você se acha mais evoluído, suponho.

— Em minha experiência, as mulheres podem ser mais objetivas e implacáveis em matéria de finanças. Compensa negociar com elas.

— Imagino que elas façam a você mais concessões do que a outros empresários — provocou Jess, não sem base lógica.

Alistair olhou para ela, os olhos sombreados pelo chapéu de palha.

— Talvez… — respondeu, misterioso, provocando um largo sorriso em Jess. A proximidade de Alistair intensificava sua alegria por estar quase chegando à ilha verdejante que lhe despertava boas lembranças. A memória colorira a paisagem com cores vivas, mas suaves. À frente de Jessica, o oceano era límpido como um aquário, e as montanhas esmeraldinas ao longe adicionavam beleza ao lugar. *Um paraíso*, tinha comentado com o marido Benedict. *E lucrativo*, ele respondera.

— Com licença, sr. Caulfield. — O administrador englobou o casal no cumprimento com o chapéu. — Espero que tenha feito boa viagem, milady.

— Não poderia ter sido melhor, sr. Smythe — disse Jess, pensando em como Alistair havia mudado desde que ela embarcara no navio dele. Começara a jornada como viúva, conformada com a solidão pelo resto da vida. Terminava-a como a amante feliz de um homem admirável em todos os aspectos, desde que bloqueasse seu passado. Refletiu sobre o que diria à irmã Hester, por carta ou pessoalmente.

Alistair levou de propósito os dedos ao ombro desnudo e receptivo de Jess, para que Smythe visse e entendesse que aquele era um território já ocupado. O administrador indicou a ela o ponto em que sua charrete se achava estacionada no cais.

— Se esperar um pouco, lady Tarley, já poderemos levar as bagagens. Tenha um bom dia, sr. Caulfield. — O homem despediu-se dizendo que marcaria uma reunião em poucos dias.

Jess olhou para seu companheiro de seis semanas no mar, durante as quais florescera um relacionamento especial. Aquela era a primeira separação dentro desse período; ela iria para Calypso, a duas horas do porto por estrada de terra, e ele, para sua residência na propriedade vizinha, porém mais tarde, depois de supervisionar o reabastecimento da embarcação. A troca apreensiva de olhares ressaltou a mesma questão: como se portariam em meio a estranhos e diante das regras da pequena sociedade local? A reação de Jess mostrou-se mais do que razoável. Ela queria estar sempre ao lado de Alistair, em público ou em particular. E assim seria, se ele concordasse.

Jess expressou-se com sentimento.

— Sei que tem muitos compromissos aqui, sr. Caulfield, mas se quiser jantar conosco, será um grande prazer.

Smythe piscou, espantado, antes de se afastar. Alistair sorriu com certo esforço, pensando na previsível batalha pelo controle das plantações. Mas meneou a cabeça afirmativamente, dizendo que o prazer seria todo dele e que chegaria por volta das seis horas.

No final da tarde, Jess o esperou no portão. Tão logo entrou, Alistair propôs que subissem juntos a pequena colina ao lado da entrada da propriedade. Dali poderiam avaliar melhor a extensão das terras e as explicações dele seriam bem-vindas, além de necessárias. O sol ainda brilhava, mas o vento ajudava a refrescar a temperatura.

Enveredaram então pela trilha poeirenta, repleta de buracos e pedregulhos. No trajeto, Jessica erguia com as mãos a barra da saia longa. Educadamente, Alistair a guiava e segurava para que não caísse ou topasse com alguma pedra. Mas não deixava de espiar as pernas dela, para ver até onde a saia subiria. De mãos dadas, pareciam um par de namorados em busca de um local bucólico em meio aos arbustos e às árvores baixas.

No alto da colina, Jessica teve uma surpresa... Lá estava um coreto rústico, feito de madeira e tijolos, que despertou nela fortes lembranças. Parecia-se muito com o mirante próximo à Mansão Pennington, na Inglaterra, palco de cenas no mínimo eletrizantes entre Alistair, ou Lucius, e suas generosas parceiras de ocasião. No centro da construção havia um estrado provido de almofadas e cobertas. Ali poderiam descansar e observar a paisagem. Graças ao piso elevado, dava para avistar impressionantes campos de cana-de-açúcar, que se estendiam até a orla.

— Já viu um canavial desses ardendo em chamas? — Ele, sem querer, a distraiu de suas lembranças. — Na época das queimadas, permitidas quando se trata do preparo do solo, providenciarei uma janela de vidro capaz de barrar a fumaça e o cheiro. Apesar do perigo e da destruição, é uma cena imperdível.

— Quero apreciá-la com você. Aliás, quero ver tudo a seu lado.

Sentaram-se no estrado e Alistair colou o corpo dele ao de Jess. Fingindo alheamento, suspendeu a saia dela até a cintura e deslizou os dedos pela pele alva e lisa. Depois abaixou o calção de baixo de Jess e beijou todos os pontos da virilha dela. A resposta trêmula demorou muito.

— Você preparou tudo isto? No horário certo? — Ela simulou contrariedade, mas seus sentidos já estavam em alerta.

— Em parte... Gostou daqui?

— Comoveu-me seu esforço para me seduzir quando mal chegamos à Jamaica.

— É que não aguento nem mais um dia sem seu corpo, seu perfume...

— Deve pensar que o sexo substitui a comida e a bebida — constatou ela.

— Somente se envolver você. — Ele foi taxativo. — Isso a acalma?

— Só tenho medo de estar sonhando — afirmou Jess, ajeitando-se no estrado para facilitar a Alistair o contato oral no qual ele insistia em se demorar.

— Já disse que a amo. Sempre vou dizer. Muitas e muitas vezes.

Sensível a tais palavras, Jess experimentou uma elevação em sua carga hormonal, que já não era pequena. Acima da predisposição física, o claro afeto de Alistair a atingia como uma bomba. Ele emudeceu, levantou-se e se desfez das calças. Exibiu a Jess o membro ereto, como fizera no passado, em outro coreto. Na ocasião, tinha possuído profissionalmente uma senhora, sempre olhando para Jess, escondida no arbusto, como se ela fosse o alvo real de suas carícias.

O coração dela disparou em sintonia com a explosão de sensualidade, que pedia para ser liberada. Recordações vivas e a fantasia reprimida por anos agiram juntas na criação de momentos de delírio amoroso, depois que ela se deitou e abriu-se à iniciativa de Alistair. Mesmo empenhada em uma conjunção carnal intensa, Jess pensou por um átimo se naquele dia especial, ou em outro qualquer, ele cogitaria gerar um filho. Com ela, naturalmente. De qualquer modo, libertava-se de um fantasma erótico do passado.

Só depois de saciada Jess se deu conta do perigo de terem sido vistos ali, praticando um ato íntimo e privado, mas ruidoso pela dupla sucessão de gemidos. Meio improvável. O que mais a torturava era imaginar Alistair dando atenção a debutantes, viúvas ou senhoras infiéis que lhe pagavam em troca de prazer. Na verdade, já sofrera por vê-lo flertar com jovens bonitas, convidá-las para dançar e escoltá-las em seguida à mesa de jantar. Com determinação, dando tempo ao tempo, Jess descartara de sua vida esse tipo de tormento. Nenhuma daquelas mulheres, que aliás Alistair não encorajava, seria capaz de dar-lhe verdadeiro afeto nem uma nova família.

Nos salões de Londres, ele a fitava de forma furtiva, um pouco envergonhado, mas demonstrando que sabia administrar seu lado público. Não era ou não devia ser um homem possessivo, de modo a não comprometer seus rendimentos. Contudo, parecia ter *orgulho* de Jess ao vê-la brilhar em seu elemento natural. Agora, estava bastante mudado. A ponto de gritar, no auge do orgasmo, que a amava de verdade.

De pé após o breve repouso, ele procurou no bolso das calças, largadas entre folhas e gravetos, uma caixinha de joias. Não a entregou a Jess. Ele mesmo a abriu diante dela, revelando um rubi quadrado e cercado de diamantes, prova do poder financeiro de quem o tinha comprado. Uma prova de amor também? A gema era quase comum pelo tamanho e pela palidez da cor, mas isso não importava. Se o casamento de Jess com Alistair não bastasse para mostrar ao mundo como e quanto ele havia se transformado, o anel com certeza cumpriria essa tarefa.

— Sim — sussurrou ele ao tomar a mão de Jess e introduzir o anel em um de seus dedos. — Vou me casar com você. O mais cedo possível. No fim desta semana, se conseguirmos.

Ela agarrou afetuosamente o rosto dele e afagou-lhe os cabelos escuros.

— Não. Será mais apropriado fazermos isso em Londres. Com as proclamas devidamente lidas e nossas famílias presentes na igreja. Desejo que todos saibam, especialmente você, que pensei bastante neste passo. Sei o que faço, Alistair. Sei o que desejo.

— Por mim, nos casaríamos antes de voltar à Inglaterra.

— Esteja certo de que não vou faltar com você — anunciou Jess, conhecendo a preocupação de Caulfield.

— Não pode. Eu não permitiria. — Com delicadeza, ele prendeu os pulsos dela. — Mas haverá mulheres que vão me reconhecer e odiar...

— Está falando de Lucius, seu outro nome? — questionou Jessica. — São pessoas que não conhecem *você*, não como eu. E nunca conhecerão. — Curvando-se, Jess deu um beijo na testa crispada dele.

— Querida, você parece crer que ninguém é capaz de amá-la de maneira incondicional, mas eu sou assim. Não abro mão disso. Com o tempo, verá que as mudanças que provocou em mim são irreversíveis. Hoje, sou como sou por sua causa, e sem você posso parar de existir.

— Eu também — redarguiu Jess —, no tempo que ficarmos separados.

— Separados? Por quê?

— Recebi uma carta de Hester. Ela deve tê-la enviado logo depois que parti de Londres, talvez no mesmo dia. Conta que já sabia estar grávida, mas escondeu o fato para não atrapalhar meus planos.

— Sua irmã espera um filho?

— Ela deve acreditar que eu voltaria somente após o parto, mas eu vou voltar antes, inclusive porque Hester não vinha passando bem.

— Iremos juntos. Com sorte, conseguirei um navio para daqui a quinze dias.

— Não posso pedir-lhe isso. Veio à ilha por motivo de negócios.

— Sim, por *você*, o grande negócio da minha vida. Não fazia sentido permanecer em Londres enquanto você ficava longe, e acho que a recíproca é verdadeira.

Jess gelou de surpresa, lembrando-se da noite em que ambos conversaram no convés do *Acheron* e ela imaginara que ele viajava ao encontro de uma mulher. Descobrir que *ela* era essa mulher era bastante impressionante. E muito comovente.

Alistar notou a expressão de felicidade no rosto de Jessica.

— Meu desejo era ardente, você sabe. Não diria que se tratava de amor, mas ia além da atração física. A atração por você me deu a esperança de voltar a encontrar alegria no sexo, de me satisfazer não só fisicamente. Tinha de conquistar você, Jess, a todo custo.

Ela fixou o olhar nele, refletindo por que ele não admitia que era amor. Talvez não pudesse. Talvez apenas correspondesse ao que Jess esperava dele. Após um instante de contemplação, ela decidiu que o que recebesse em troca seria o bastante. Amava-o o suficiente pelos dois.

Livrando as mãos, Jess reclinou-se no estrado, afofando os travesseiros e assumindo uma posição convidativa. Queria Alistair de novo dentro dela. Se a necessidade básica daquele homem era a parte que ele podia lhe dar, ela a desfrutaria de bom grado. Assim, ele se deitou e Jess utilizou suas habilidades com a boca a fim de excitá-lo. Depois ofereceu-lhe os lábios úmidos, que foram selados por um longo beijo.

A distância, ela escutou os gritos das gaivotas e as vozes dos lavradores da fazenda. Ninguém poderia vê-los ali, no pequeno morro, e isso acentuou a sensibilidade de Jess, que abraçou Alistair pelo pescoço, tirando o máximo prazer do beijo.

— Pensei — murmurou ele no ouvido dela — que teria de convencê-la a se casar comigo, o que levaria algum tempo... semanas, meses, talvez anos. Reformei minha casa de fazenda de modo a agradá-la e impedir que fugisse durante o processo.

— Audiência cativa. — E ela sorriu. — Como me impediria de fugir?

— Não sei. Talvez escondendo suas roupas ou tornando-a sexualmente dependente de mim. Também trouxe uma caixa do seu vinho preferido. Você fica mais receptiva depois de uma ou duas taças.

— Criatura malvada! — Jess percebeu a veia do pescoço dele pulsando forte. — Faça o pior que puder, senão eu revogo minha aceitação do seu pedido de casamento.

— Ah, mas você não disse "sim, aceito". Fez ressalvas. *Eu* aceitei — comentou Alistair, passando o nariz pelo rosto de Jessica. — Não imagina quanto eu gostaria que concordasse comigo.

— Ainda pode me mostrar. — Os dedos dela deslizaram pelas costas de Alistair do modo que ele apreciava.

Escorregando para o lado dela, ele pediu:

— Venha por cima. — E sob a pressão dos dedos dele em suas ancas, Jess moveu o corpo, antecipando novos momentos de deleite. Mas teve de parar um pouco a fim de tirar de vez o calção de baixo, peça inadequada diante do apetite sexual que ambos dividiam.

— Quero que compre um enxoval completo. Incluindo um bom robe sem botões. Aliás, sei que Tarley foi bom para você, mas aposente os trajes de luto quando se casar comigo.

Jess adorou tais palavras, e mais ainda os toques de língua que recebeu nas coxas, com Alistair forçando a postura de modo a aproximar a boca de sua virilha.

— Vai querer me ver provando um vestido novo no ateliê da modista?

— No momento, quero vê-la totalmente nua.

Ela preferiu levantar-se para tirar o resto da roupa e aproveitou para exibir-se de corpo inteiro, acariciando-se nos seios, em pose insolente, como Caulfield fazia. Sabia que ele gostaria disso, e que acresceria pontos à sua lascívia. A quantidade de almofadas coloridas no estrado lembrou Jess da história absurda de aventura no deserto que havia contado a ele dias atrás, a fim de testá-lo.

— Você me resgataria de um sultão atrevido? — perguntou ela.

— Depende. Se o valor do resgate compensasse o prazer que pode me dar...

— Pois experimente...

Jess conhecia bem o fascínio de Alistair por desafios. Posicionou-se sobre ele, sentindo-lhe as mãos espalmadas sobre os seios. Percebeu que Alistair usava os dedos para guiar o próprio pênis até que ficasse reto e se encaixasse diretamente no alvo. Jess então desabou por cima dele. Foi bom, pois o atrito sólido contra o clitóris a levou a paragens celestiais. Ele não tardou, porém, em inverter as posições e possuir Jess num ritmo arrebatador, impedindo-a até de respirar, a não ser por curtos e sibilantes momentos.

A surpresa de Alistair com a reação exarcebada daquela mulher lhe impôs silêncio. Ela se mostrava perita e ele oscilou entre o júbilo e o receio de tê-la corrompido de uma vez por todas. Talvez Jess quisesse deixar claro que não desejava a submissão dele na cama.

— Continue a se mexer — disse Alistair depois, estreitando os olhos. — Daqui a pouco vou lhe dar um prazer que ainda não conheceu. E não precisarei esperá-la terminar.

Jess acelerou o movimento dos quadris e a tensão compartilhada chegou a um nível incomensurável, até que o orgasmo simultâneo e profundo fiz que ambos estremecessem, e, em seguida, serenou-lhes os ânimos.

Os afagos manuais prolongaram a sensação de êxtase. Alistair abraçou e beijou Jess de maneira possessiva, colhendo também os seios. Ela acomodou a cabeça no ombro dele antes de interrogá-lo:

— Você teve muitas concubinas felizes por manterem relações com um homem tão viril. O que será de mim quando a novidade acabar?

— Está subestimando meu desejo por você. — Ele utilizou a ponta da língua para acariciar a orelha de Jess. Então dirigiu uma das mãos dela até sua virilha, onde jazia a evidência de uma nova ereção. — Sente o que é capaz de fazer comigo? Nunca me cansarei de você.

— No navio, antes do ataque dos piratas, já sonhava comigo? Imaginava *como* iria me possuir?

— Imaginava *quando*. Todas as noites — murmurou ele bem sério, os dedos procurando os mamilos rijos de Jessica.

Girando a cabeça, ela pressionou seu rosto contra o dele.

— Mostre-me. Ensine-me todos os modos de satisfazê-lo.

De imediato, Alistair pousou a mão no baixo-ventre de Jess, entre as pernas dela, e novamente tocou-lhe o botão secreto, adiantando o carinho pelo qual ela ansiava.

— Quer apagar esse fogo que corre nas minhas veias?

— Somente o seu, de ninguém mais. Empolgada pelos toques nos mamilos e no clitóris, Jess estava pronta para mais uma repetição, o que parecia já fazer parte de seus encontros. Rolando no estrado, ela acessou com os lábios o membro masculino. Alistair prosseguiu com o atrito íntimo, agora usando dois dedos. Ela precisou de uma pausa para respirar.

— Por favor… — pediu ela.

— Fique curvada em cima de mim — disse ele em tom quase de ordem, ajudando-a a se ajeitar. Jess não queria aprender tudo? Adotaram uma postura difícil, com os corpos em sentidos opostos, um sobre o outro, as respectivas bocas nos alvos visados. A sucção mútua e enlouquecedora compensou a estranheza da posição. Praticaram sexo oral simultaneamente, sem outros intervalos, em um requinte de lascívia que pouca gente tivera a oportunidade de descobrir.

O mais penoso na cena, por si só voluptuosa, era segurar o clímax. Alistair solucionou o problema depois de deslizar as mãos sobre os glúteos de Jess. Virou-a pela cintura e ambos voltaram à posição normal, mas ele, deitado de lado, continuou massageando o sexo dela com uma das mãos.

— Ainda quer algo mais sólido dentro de você? — perguntou.

— Sempre — foi a resposta sucinta que transportou o órgão viril ao portal da intimidade feminina, preenchendo o vazio dolorido. Vulnerável como estava, ela prendeu Alistair contra si pelas nádegas, intensificando a penetração. Gemendo, Jess acusou o prenúncio do prazer máximo.

— Pode sentir como estou fundo em você?

Ela estendeu os braços, já fechando os olhos e começando a gritar, enquanto ele lhe dava o tempo implícito naquela posição comum. Movimentou o pênis nas profundezas dela e retirou-o lentamente, voltando a penetrá-la no mesmo ritmo, com a mesma competência. Repetiu o gesto algumas vezes, até liberar seu jorro vital em sincronia com o gozo de Jess. As pernas fraquejaram e ela desabou no estrado, consumida, e só então entoou os sons que ele já conhecia bem e representavam o aval de sua conquista.

— Você está toda molhada — percebeu ele, disposto a enxugá-la.

— Deixe-me assim mais alguns minutos! — o corpo dela ainda vibrava com breves espasmos. Alistair a abraçou a fim de apressar-lhe o relaxamento. Não que também não experimentasse uma maravilhosa languidez, que somava qualidade ao seu prazer. Jess o surpreendera com uma entrega total, desinibida, sem exigências nem questionamentos. Ele havia adorado essa atitude, que dispensava qualquer nova lição de amor.

Alistair reduziu a força do abraço e passou a estudar em minúcias a pele suave e cálida da companheira: ombros, braços, pernas, tórax, abdome, coxas... De repente, uma sombra lhe marcou o rosto e acentuou-lhe a voz chocada:

— O que é isso? O que são essas marcas na sua pele?

Jess franziu o cenho, aborrecida por ele ter visto as cicatrizes rosadas nas nádegas e no alto das coxas. À luz do sol, seriam invisíveis, mas ambos estavam na penumbra. Detestava admitir a verdade, porém não podia negá-la ao homem amado.

— Não reconhece sinais de chibatadas?

— Misericordia! — rugiu Alistair, dobrando-se sobre ela, em um gesto protetor e obstinadamente reconfortante. Abraçou-a como se empregasse o próprio corpo como bandagem ou curativo. — Tem mais cicatrizes?

— Já não significam nada, querido.

— Como não?! — Alistair exaltou-se. Ela vacilou, pensando apenas em superar aquela situação que a remetia a um passado doloroso. — *Onde*, Jessica?

— Não escuto nada com meu ouvido esquerdo, como sabe — declarou ela suavemente.

— Resultado de tapas fortes e seguidos? Vindos de Hadley, seu pai, quando você era criança? — Ele encostou o rosto nas costas dela.

— Prefiro não pensar nisso agora.

— Pois pense enquanto está comigo e acabamos de fazer amor — pediu ele, percorrendo a espinha dela com a língua, tomado de revolta. Depois apalpou-lhe os seios por trás. — Posso fazê-la esquecer.

Ao ouvir isso, Jessica soltou um murmúrio de alívio, mas...

— Mas eu nunca esquecerei.

20.

ALISTAIR AJUDOU JESSICA A DESCER DA CARRUAGEM e ficou satisfeito ao notar o volume no dedo debaixo da luva, que traía a presença do anel de rubi. Estavam defronte à casa dos Regmont, recuada da rua e assim livre do movimento, mas a seu ver, guardando algo de perigoso. Ele temia pelo que Jess poderia fazer se sua irmã Hester protestasse contra o casamento iminente. Receava também a própria reação diante de uma mudança de planos, porque não conseguiria viver sem ela.

— Ela só quer minha felicidade — disse Jess sorrindo, tranquilizando-o. — Vai se surpreender, por certo, mas não fará objeção.

Alistair deu uma tossidela, ciente de que perdera toda a habilidade de manter ocultas suas emoções quando se referiam a Jess. Oferecendo o braço, ele a escoltou pelos poucos degraus. Entregou seu cartão ao mordomo assim que a porta se abriu para a alegre sala de estar, pintada de amarelo. Manteve-se de pé enquanto Jess se sentava. Reconheceu-se inquieto. Tinha muitos compromissos a atender. Sua equipe em Londres não avisara ninguém de seu retorno, assim, sua residência não estava preparada para o novo casal morar. Precisava escrever uma carta à mãe, informando-a sobre sua união com Jess. A impaciência o dominaria até o anúncio oficial do noivado.

— *Jess!* — Hester surgiu na sala, saudando a irmã e deixando Alistair sem palavras. Fazia anos que não se viam. Ultimamente, como seria natural, concentrara as atenções em Jessica. Mas lady Regmont nunca se mostrara tão delicada e calma, o ventre discretamente crescido. Ele calculou os meses de gravidez: quatro, mas parecia menos. Esguia e pálida, Hester havia se excedido no ruge. A despeito das semelhanças, as diferenças entre ela e a irmã, que esbanjava vitalidade, estavam mais visíveis. Lembrava um fantasma.

Um arrepio atingiu Alistair enquanto as duas se abraçavam. Hester teria perdido o bebê?

— Você está linda e feliz — disse ela a Jess.

— Devo isso ao sr. Caulfield — respondeu Jessica, provocando um amistoso aperto de mãos entre a irmã e Alistair. Este percebeu, preocupado, olheiras escuras em Hester, bem como rugas na testa. Porém, não diminuíam em nada o calor humano daquela mulher.

— Aceite minha gratidão — disse ela. — Ocupado como é, foi generosidade sua cuidar da minha irmã na viagem.

— O prazer foi todo meu — respondeu ele, esboçando um sorriso. O que acontecia com lorde Regmont, para permitir que a esposa definhasse, especialmente estando grávida? Se fosse com Jessica, Alistair não sairia do lado dela até vê-la saudável.

— Então, como tem passado? — indagou Jessica, trocando com Caulfield um olhar cúmplice que não escondia preocupação.

— Otimamente bem — apressou-se Hester em declarar, depois sentou-se. — Sobretudo agora que você voltou. Deve ter embarcado assim que recebeu minha carta.

— O que esperava que eu fizesse?

— Que me desejasse felicidades e aproveitasse sua longa jornada à Jamaica.

Jess começou a retirar as luvas.

— Fiz as duas coisas e agora estou aqui, perto de você.

— Meu único problema são os enjoos matinais. Também passo o dia cansada, mas o médico garante que tudo isso é normal. — Hester convidou Alistair a sentar-se também, porém ele esquivou-se.

— Obrigado, mas não posso ficar. Tenho muitos assuntos a resolver. Vou ao meu escritório, na região do porto.

— Então desculpe-me por tê-lo retido. Agradeço por trazer minha irmã de volta. Pretende ver lorde Tarley?

— Sem dúvida.

— Pois dê-lhe lembranças minhas.

— Vou ficar com você mais um pouco.

— Preocupa-se comigo sem motivo.

— Minhas razões são inteiramente egoístas. Quem me ajudaria nos planos de casamento senão você?

Hester piscou.

— Disse... *casamento*?

— Sim. — Jess voltou-se para Alistair, impossibilitado de sair enquanto ela o olhasse daquela maneira, expressiva e amorosa. A garganta dele fechou-se de emoção.

— Com Alistair Caulfield!? — Hester elevou a voz, o que poderia desiludir o futuro cunhado caso ele não identificasse apenas surpresa no tom.

Jess ergueu-se de um salto e o abraçou.

— Eu lhe disse — sussurrou no ouvido dele, os olhos brilhando de determinação. A tensão desfez-se depressa e ele despediu-se de Hester também com um abraço, durante o qual só lhe sentiu os ossos.

Após partir da Mansão Regmont, Alistair foi direto para o Clube Remington, necessitado de um drinque — ou de mais de um. Deixar Jessica era penoso. Tudo estaria contra eles em Londres, com múltiplas forças agindo no sentido de separá-los. Quando estavam juntos, ele sentia-se poderoso o bastante para vencer qualquer dificuldade. Quando separados, seu temperamento o fazia temer o pior.

No salão social, infelizmente, não cruzou com seu irmão, Albert. Quanto antes avisasse a família do noivado, mais cedo calaria boatos sobre seus propósitos românticos. Uma vez casado com Jessica, a sociedade e seus meandros ou opiniões poderiam ir para o inferno. Algumas instituições, como a Igreja, tinham de ser respeitadas, mas o que um homem e uma mulher faziam na intimidade não era da conta de ninguém.

De passagem, viu antigos amigos que o olhavam com curiosidade. Alistair os ignorou e instalou-se no bar, onde pediu uísque, além de pena, tinta e papel. Teve de mostrar suas credenciais de sócio do clube, o que o lembrou de como andava afastado das rodas sociais.

— Droga! — praguejou ao notar numerosos olhares sobre si. Mordeu o cabo da pena, procurou algo de errado na roupa e na gravata e desistiu de escrever diante da insistência de colegas que acenavam, convidando-o para a mesa deles. Levantou-se e encarou a plateia com ar de desafio, até o instante em que reconheceu Michael Sinclair, que lhe abria os braços.

— Está todo mundo louco por aqui? — resmungou o recém-chegado, aproximando-se da mesa do amigo.

— Como vai? — Michael fitou-o nos olhos.

— Vivo e atuante... — foi a resposta.

— Deve estar escondendo alguma coisa... — o outro maliciou enquanto se sentavam. — Não esperava vê-lo pelos próximos meses. O que houve?

— Queria ficar mais na Jamaica, mas lady Tarley soube por carta que a irmã tinha engravidado e insistiu em retornar imediatamente.

Michael respirou fundo e se eximiu de fazer comentários. Alistair pediu uma segunda dose de bebida, consciente das atribulações vividas pelo amigo, nascidas da cobiça pela esposa de outro homem.

— Lady Regmont mandou-lhe lembranças. Na verdade, pareceu ansiosa por mantê-lo informado.

— Provavelmente pensa que você e eu temos um acordo de cavalheiros nesse ponto.

— Por que ambos desejamos as meninas Sheffield? Uma para cada um, claro — blefou Alistair perante um Michael silencioso e envergonhado. — Vamos, sei há muito tempo o que sente pela irmã de Jessica. Como está, seu rosto revela tudo.

— Quis dizer Jess? — Michael exaltou-se e bateu o copo no tampo da mesa. — Que diabo! Rezo para que você não tenha se envolvido com a viúva do meu irmão...

— Nunca — mentiu Alistair. Notou o alívio do amigo, mas prosseguiu: — Todavia, as peraltices que fiz com minha amada só dizem respeito a mim.

— Meu Deus! — Michael engoliu o conteúdo de seu copo de uma só vez e sinalizou pedindo mais uma para o garçom. — O que pensa que está fazendo? Jess não é o tipo de mulher que um homem conquista por brincadeira. Sua situação, seus meios, não bastam para torná-la feliz, mesmo com o casamento. Terá de ser cauteloso e discreto, sempre.

— Ou simplesmente resoluto.

— Não brinque mais!

— Não é brincadeira para mim, Tarley. — Numa visão panorâmica do salão, Alistair concluiu que muitos outros deviam pensar como seu velho companheiro. — Eu a amei desde que éramos crianças. Na época, julguei que ela era perfeita, a única no mundo que poderia salvar a alma insensata e enegrecida que me corrói por dentro.

— Poupe-me de sua veia poética — zombou Michael.

Alistair sorriu, concentrado nos seus pensamentos em Jess. Iria desposar uma joia de mulher. Nenhum homem ali presente desconhecia a beleza, o valor dela.

— Mas aprendi que nossos defeitos é que nos tornam ideais um para o outro. Pretendo viver o resto da existência em união monogâmica.

— O que acha disso o velho Masterson?

— Não ligo para o que o duque pensa.

— E sua mãe, então? — desafiou Michael. — Ela pode ver nisso uma oportunidade para você e seu pai se entenderem. Jessica é estéril.

— Eu sei e não me importo.

— Não seja tão vingativo. Seu pai e você nunca se deram bem, mas o assunto agora é mais importante do que qualquer um dos dois.

Um copo de bebida chegou à mesa, mas foi Alistair quem o tomou.

— Seu cérebro, meu amigo, foi afetado pelo excesso de trabalho, concorda?

— Você será responsável por decisões que causarão impacto em várias gerações de sua família...

— Vamos esclarecer uma coisa... Sua objeção ao meu casamento com Jess não vem da incompatibilidade ou da conveniência, mas da sua crença de que tenho a obrigação de procriar.

— Responsabilidade é uma coisa tediosa, não? — disse Michael com imprevista amargura.

— Obviamente, o desgosto decorrente da perda de seu irmão o levou à loucura. Que eu seja almadiçoado se desistir da mulher que adoro simplesmente para pôr um herdeiro no mundo a fim de ganhar aceitação social.

— Encerrar ou não a rixa com seu pai é secundário diante do dever de honrar o título de nobreza — decretou Michael.

Alistair resolveu deixar o local, pois em poucos segundos começaria a ter vontade de estrangular o melhor amigo. Como este desconhecia as circunstâncias que envolviam a paternidade de Caulfield, falava coisas sem sentido.

— Assegurar a continuidade da linhagem dos Masterson nunca foi nem será meu dever! — vociferou Alistair, saindo rapidamente do Clube Remington.

Na sala de visitas da Mansão Regmont, Michael inclinou a cabeça e estreitou o olhar. Suas feições estavam desfiguradas por algo semelhante a uma sensação de horror.

— Você não sabia de nada, certo?

— De Alistair Caulfield — insistiu Hester — eu jamais suspeitei. Vocês dois mantinham uma amizade fria, reservada. Julguei que você não se importava muito com ele.

Jessica deu de ombros, em um gesto levemente envergonhado.

— Ele mudou bastante. Porém, mais que isso, guarda enigmas interiores que são impossíveis de conhecer a menos que ele os revele. De todo modo, sempre o considerei fisicamente atraente.

— Que mulher não considera? — Hester deu um passo adiante, na direção da irmã, como se quisesse compartilhar com ela um grande segredo. — Na minha adolescência, ele possuía um traço deliciosamente perverso. Algo pecaminoso e depravado, mas não pensei que chegasse a vender o corpo para madames ricas, mesmo a pretexto de sobreviver. Agora tornou-se um homem alto, sério e forte. Mais bonito ainda! É difícil desviar os olhos dele.

— Sei disso — interveio Jess. — Estou apaixonada. Tenho que me casar com ele, senão ficarei lançando olhares furtivos, comprometedores.

A irmã mais nova serviu-se de chá.

— Alistair encara você de um modo indecente. Já se deitou com ele? É realmente bom, na prática?

— Hester! — Jess a repreendeu pela ousadia, ainda maior na frente de Michael.

— Hester riu, jogando os cabelos para trás e lembrando a menina cheia de energia que fora um dia.

Só de relembrar, Jess se excitava.

— De onde concluiu que tivemos intimidades? Talvez se trate de um completo cavalheiro.

— Alistair Caulfield? Semanas sozinho com você num navio? — Hester continuou rindo. — Qualquer outro talvez, mas um pilantra como ele? Então...

— Então... Ele é tão carinhoso quanto parece.

— Ah! Fico feliz por você, Jess — Hester sorriu, satisfeita.

A essa altura, Michael pediu licença e fez menção de retirar-se, alegando trabalho. Não gostava de discussões em família e já tinha contado às duas irmãs o que desejava contar. Despediu-se com beijos na face de ambas, que deram andamento à conversa.

Jess queria igual felicidade para sua irmã, mas as circunstâncias eram adversas. Normalmente frágil, Hester achava-se mais debilitada por causa da gravidez.

— Como vão as coisas entre você e Regmont?

— Ele também é um mestre nessas artes. — A resposta veio com um leve tom de amargura. — Conhece o corpo feminino como ninguém.

— É infiel? — Jess guiou-se pela última frase da irmã.

Hester mostrou-se séria, contemplativa.

— Não tenho certeza. Se é, o apetite dele por mim não diminuiu.

Na verdade, Michael se livrara de uma depressão por ouvir isso da mulher amada. Um demorado silêncio calou Jess, preocupada em entender o que causava tanta dor à irmã.

— Por favor, mana. Diga-me o que está errado. Perdeu peso em vez de engordar. O bebê não necessita de boa alimentação e de uma mãe saudável?

— Agora que está aqui, estou comendo melhor.

— E quando não estou? — perguntou Jessica, que começou a caminhar obsessivamente pela sala, um mau hábito que o pai tirânico conseguira superar ainda na juventude dela.

— Você mudou muito — notou Hester.

— Você também mudou. — Menos aflita, Jess encheu sua xícara de chá e adicionou fatias de limão. — Você adorava pingar gotas de limão no chá, além de uma colher de creme que sujava sua mão quando você bebia. Agora não toca em nada disso.

— Não sinto fome — foi a desculpa de Hester.

— Mas com certeza seu bebê sente — replicou Jess, vendo rugas surgirem na testa da irmã. Algo precisava ser feito. Ela agachou-se aos pés de Hester e tomou-lhe as mãos emagrecidas a ponto de exibirem alguns ossos. Era desesperador.

— Conte-me. Está doente? Falou com o médico? Ou se trata de outro problema? É Regmont? Tem medo de me dizer porque eu apresentei vocês? Fale, Hester. *Por favor...*

Hester respirou fundo e por fim confessou:

— Meu casamento já não é feliz.

Jess sentiu um aperto no coração.

— O que aconteceu? Vocês brigaram? A união pode ser salva?

— Assim eu esperava. Talvez fosse possível se eu me mostrasse mais forte, como você. Minha fragilidade aborrece Regmont.

— Você não é frágil. Só está um pouco debilitada.

— Sou, sim. Quando papai descarregava seu ódio em mim e você intercedia, eu a deixava apanhar. Ficava grata por levar chibatadas no meu lugar. Tenho eterna gratidão por isso — confessou Hester, os lábios curvados demonstrando tristeza.

— Bobagem. Eu era mais crescida, e você, pequena demais para ser espancada. Foi bom deixar-me interceder. Fazer diferente seria tolice.

— Talvez, mas você foi corajosa — Os olhos verdes de Hester se arregalaram. O pó carmesim do ruge contrastava com a pele pálida em volta. Para estranhos, ela poderia parecer uma caricatura. — Preciso dessa coragem agora e não sei onde encontrá-la.

— Vou ajudá-la — disse Jess, apertando com gentileza os dedos da irmã. — Vamos encontrar uma solução juntas, com certeza. Quanto a Regmont, ele deve estar preocupado com sua saúde, assim como eu estou. Tão logo a recupere, seu relacionamento conjugal vai melhorar. É natural que uma mulher grávida sinta indisposição e melancolia, mas para um homem, é difícil entender isso. Teremos que educar seu marido.

Hester sorriu, refeita, e colheu nas mãos o rosto de Jess.

— Você seria uma mãe maravilhosa. Pena que não possa ter filhos.

— Absurdo. Você será uma excelente mãe. E eu, uma orgulhosa tia.

— Seu noivo a ama demais — constatou Hester, tentando alegrar a irmã.

— Acho que sim — concordou Jess. — Mas ele não se declara de modo explícito. Ouço isso quando fala comigo. E sinto isso quando ele me toca.

— Claro que a adora, e com intenso desejo. Você será invejada pela maioria das mulheres. Alistair Caulfield é rico, bonito e louco por você. Aposto que ganhará um ducado depois de aparecer na corte.

Foi a vez de Jessica rir.

— Você sonha alto. Ele nunca herdará o título.

Incrédula, Hester piscou.

— Por quê?

— Ah! Você também ignora a questão da paternidade dele?

Por questão de justiça, ela deveria saber. Então Jess relatou à irmã a suspeita de ser filho bastardo que pairava sobre Alistair Caulfield.

21.

COM UMA DAS MÃOS ÀS COSTAS, ALISTAIR ANDAVA de um lado para outro diante da lareira da sala, na residência da família em Londres, até o instante em que desabafou:

— Varíola, quem diria!

— Sim. — A voz da mãe parecia tomada de angústia, mas também de compreensão. Alistair não havia contraído a moléstia, e seu irmão mais novo, Albert, tinha sobrevivido ao surto de doença que assustara Londres.

Louisa, a duquesa de Masterson, ocupava uma poltrona de madeira entalhada, esforçando-se por manter retas as costas doloridas. Seus cabelos eram tão negros quanto os de Alistair, exceto por mechas grisalhas nas têmporas. O rosto encantador traía tanto sua idade quanto a agonia de ter perdido dois filhos. Os olhos azuis e ingênuos pareciam prever outras tragédias por vir.

Alistair Caulfield não tinha noção do que dizer a ela. A opressão da morte em família equivalia ao peso do título que acabara de ganhar, uma distinção que nunca havia ambicionado.

— Eu não queria isso — disse ele em tom grave. — Diga-me como sair desta situação.

— Não existe saída.

Ele a olhou com admiração. O velho Masterson estava em casa, mas a mãe lidava sozinha com o problema, porque seu amado marido não conseguia nem olhar para o bastardo que agora ostentava uma posição de destaque social.

— Se ele me denunciasse — propôs Alistair —, haveria chances de o título ir para um parente menos próximo. — Ao ouvir isso, Louisa levou o lenço à boca e soluçou dramaticamente. — Ele nem olha para mim — emendou Alistair. — Deve desejar outra solução tanto quanto eu.

— Não há uma alternativa viável, pois Masterson não quer me desmentir nem me deixar envergonhada. Caso renunciasse à sua paternidade, o seguinte na linha de sucessão seria um primo distante, de valor questionável.

— Realmente, não almejo o título — repetiu Alistair. Ele queria uma vida de viagens e aventuras com Jessica. Traria para si a alegria dela e a liberdade de apagar a opressão da própria juventude com uma maturidade irrepreensível do ponto de vista moral.

— Você poderá vir a ser um dos homens mais ricos da Inglaterra... — argumentou Louisa.

— Por Deus, não quero tocar em nenhum centavo de Masterson — Alistair sentia o sangue mais quente. — A senhora desconhece as coisas que fiz para não ficar insolvente. E ele me deu pouca ajuda quando eu mais precisei. Agora, não aceitarei nada da parte dele.

Louisa ergueu-se, as mãos amassando o lenço.

— O que quer que eu faça? Não posso voltar atrás e negar você nem lamentar seu nascimento. Arrisquei minha vida para tê-lo, e Masterson dividiu o risco comigo. Tomamos uma decisão conjunta, e continuaremos fiéis a ela.

— No entanto, vive solitária. Praticamente como viúva...

Ela levantou o queixo, orgulhosa.

— Minha escolha, minha consequência.

Afastando-se da lareira, Alistair aproximou-se da mãe. O teto da sala pairava a mais de dois metros de sua cabeça, por abrigar uma espécie de mezanino. Toda aquela casa exibia esses espaços cavernosos, onde eram guardados móveis e obras de arte acumulados por familiares durante séculos. Mas Alistair nunca se sentira conectado a nenhuma daquelas relíquias, das quais não tinha orgulho nem senso de propriedade. Quanto ao título, era quase a mesma coisa, semelhante a usar uma máscara. Desempenhara um papel negativo a fim de sobreviver, porém agora estava confortável com o que era. Confortável com o fato de ser o homem que Jess amava de forma incondicional.

— Sua escolha — rebateu ele suavemente, vendo-se na pele de um impostor, como muitos achavam que era. — E eu pago o preço.

Hóspede na Mansão Regmont, Jess permaneceu acordada quase a noite inteira, pensando em seu destino. Oficialmente, Alistair havia se tornado marquês de Baybury. Com o falecimento ou a renúncia do suposto pai, herdaria o ducado de Masterson, o que lhe traria imenso poder e prestígio, mas também grandes responsabilidades.

Nessa condição, ele não poderia aceitar uma esposa sabidamente infértil.

Tanto no navio como em terra, na ilha, os dois costumavam dormir até meio-dia. Na segunda manhã em Londres, todavia, Alistair veio chamá-la na mansão às oito da manhã, disposto a esperar o tempo necessário para ela se aprontar e recebê-lo. Jess entendeu que deveria ser forte diante da situação. Ao descer a escada que levava até a sala, encontrou-o aguardando com uma das mãos às costas e um dos pés apoiado na cadeira mais próxima. Ele tinha uma fisionomia severa.

Alistair abriu os braços para Jess, que correu rumo à proteção oferecida. Ele a apertou contra si.

— Lamento por você ter perdido a batalha do título que não desejava — murmurou ela, afagando-lhe o rosto tenso.

— E eu lamento por tê-lo ganhado. A voz de Alistair era fria, mas não o abraço. Permaneceram unidos até que ela o conduziu para a saleta de visitas. Ali se entreolharam demoradamente, entre beijos e afagos. Ele parecia cansado e mais velho do que era. Deslizando a mão pelos cabelos, manifestou sua frustração: — Parece que nós vamos cair em uma armadilha.

"*Nós*", ele tinha dito? Com o coração disparado, Jess sentou-se na poltrona cor de damasco e inspirou profundamente.

— Você ficará bastante ocupado, agora.

— Sim, e isso já começou. Masterson preencheu uma agenda de compromissos para mim. Mal terei meia hora de folga nos próximos três dias. E nem sei se nessa meia hora terei sossego.

Claro, dificilmente teriam oportunidade de permanecer juntos, agarrados, satisfazendo-se mutuamente. Mas talvez essa pausa tivesse vindo em boa hora, e para o benefício de ambos. O caminho de Alistair era áspero, porém ele era competente, tinha faro para os negócios e um ar de liderança capaz de convencer gente importante.

— Em pouco tempo, tudo estará mais calmo e tranquilo. Você despertará a maior admiração — incentivou-o Jessica.

— Não ligo para o que ele pensa.

— Não me referia a seu pai, mas você se importa com a opinião de sua mãe, e ela se preocupa com o julgamento de Masterson. Ela ama você e luta pelo seu bem.

— Não o bastante.

— O que seria o bastante?

— Sair desse jogo de ter hora certa de ver você e de deitar-me de noite sem tê-la ao meu lado. Sinto falta de você inteira, até dos conselhos que pode me dar.

O olhar de Jess o captou com comiseração. Alistair parecia aborrecido, desencorajado, solitário.

— Sempre estarei disponível para você.

— Sei o que deseja e mal consigo adiar — queixou-se ele. — Levará meses até me livrar do atoleiro que minha vida se tornou. Não posso me concentrar em nada enquanto estiver sedento de você. Vim lhe propor que fuja comigo.

Jess juntou as mãos no colo. No íntimo, sentia uma dor agoniante, que a fragilizava.

— Não seria uma atitude inteligente — retrucou ela após refletir um pouco.

— Vai se recusar? — Ele fixou nela os olhos vagos.

— Sabia que eu me negaria. Por isso está tão agitado e veio aqui logo que o dia nasceu. — Ela suspirou pesadamente. — Precisa de mim para fazer isso e seguir adiante.

— Fazer o quê, Jess? — perguntou ele com forçada gentileza. — Explique-se.

— Você quer que eu lhe dê tempo e espaço para se acostumar à sua nova condição de agora em diante e até o fim da sua vida.

— Sei o que quero.

— *Sabia* — corrigiu ela. — Agora há mais coisas a considerar... encaixar as peças, decidir quais se tornaram obsoletas. Você nada saberá de verdade até mergulhar no papel que assumiu.

— Como é que é? — O tom de Alistair revelou a intensidade da fúria que sentia. — Atreve-se a sugerir o fim do nosso relacionamento com essa voz gélida, como se me oferecesse chá em vez de estar partindo meu coração?

— Alistair... — Jess mordiscou o lábio inferior até quase sentir o gosto de sangue.

— Você está com medo! — acusou ele.

— E você, não? É o pior estado mental que existe para tomar decisões importantes.

— É que você também não consegue viver sem mim, Jess.

Ela não ignorava isso. Esperava superar as dificuldades sem forçar tal desfecho. No entanto, ambos precisavam ter certeza do que desejavam.

— Hester precisa de mim no momento. Não posso abandoná-la.

— Mas pode me deixar escapar.

— Você é muito mais forte que ela.

— Ainda assim, preciso de você — declarou Alistair, exaltado. — Hester conta com Regmont, Michael e você. Você é a única pessoa que eu tenho, a única pessoa no mundo que preza minha felicidade acima de tudo. Se me deixar, Jess, ficarei sozinho e vazio, sem nada.

— Nunca o deixarei — sussurrou ela. — Mas isso não significa estarmos perto um do outro o tempo todo.

Jess julgava, com razão, que seus sentimentos por ele estavam estampados na face lívida, mas o amor deveria ser, supostamente, livre de egoísmo, apesar dos protestos de Alistair em contrário. O casamento entre ambos tendia a arruinar irrevogavelmente a relação dele com a mãe, a outra pessoa além dela que o amava de verdade. Se ele estava disposto a correr o risco, ela também o assumiria, mas não naquele momento. Como sempre, Caulfield pensava depressa demais, desafiando o futuro que não almejava para si.

— Jess... — Ele a fitou com uma expressão pétrea. — Eu soube que você era a mulher da minha vida no instante em que a vi. Mesmo jovem, não tive dúvida nenhuma a esse respeito. Nunca me casei, até dispensei pretendentes ricas e interessantes, convencido de que um dia você me pertenceria. Era inimaginável que não. Esperei anos por você, agora não pode me pedir para continuar minha vida sem a possibilidade de tê-la ao meu lado. Prefiro morrer.

— Não me entenda mal — rebateu ela, a voz ganhando convicção. — Não irei a lugar algum nem vou procurar ninguém. Estarei aqui mesmo, com Hester.

— Esperando por mim?

— Não. É desaconselhável, pois isso prenderia você ao passado quando tem de encarar o futuro.

— Basta. Deixe-me compreender. — Diante de Jess, Alistair notou o gesto dela, de tocar carinhosamente seu anel de rubi antes de fazer menção de tirá-lo do dedo. Ele segurou a joia e encostou sua testa na dela, depois de beijá-la com afeto.

— Primeiro, você precisa saber que *eu* compreendo. — Ela agarrou-lhe a mão, desejando que Alistair absorvesse a força do amor que sentia por ele. — Considerei a hipótese de me ver forçada a desistir de você para poupar o homem que amo, e seria muito injusto que Hadley tirasse proveito desse sacrifício.

— Não desistirei de você, Jess. Não quero, não posso.

— Bem... deduzi tudo o que você ocultou sobre sua mãe e Masterson. Entendi como deve ter sido... a falsa ilusão, por parte dela, de aceitação e compreensão, depois quebrada pela truculência do marido. Ele nunca permitiu que sua mãe esquecesse a traição conjugal, e ela então carregou o peso da culpa e do remorso a ponto de aceitar agressões calada. Você testemunhou tudo isso, e sofreu com a própria culpa e remorso.

— Deduziu tudo isso? — Ainda que tentasse blefar, Alistair estava tenso.

— Você se tornou protetor de sua mãe em detrimento próprio. Ninguém protege nada que não tenha risco de quebrar.

Caulfield passou o polegar pelo queixo de Jess.

— Minha mãe tem vontade forte, exceto quando se trata desse assunto. De mim.

Jessica inclinou-se, aumentando o contato entre os dois.

— Não é você, querido. Você não tem culpa de nada. Raciocine comigo. Há maneiras de prevenir a gravidez, tanto pela mulher como pelo homem. Se no adultério Louisa estivesse satisfazendo uma necessidade, um capricho, não teria se precavido? Assim como o amante dela? Ou os dois?

— O que você quer dizer?

— Talvez sua mãe vivesse uma grande paixão, uma atração arrebatadora. Daí sentir-se culpada.

— Bem, ela ama Masterson. Deus sabe por quê.

— Eu amo você com intensidade, mas mesmo assim às vezes desejava Tarley; ficava ansiosa se ele não me tocasse.

Caulfield cobriu os lábios de Jess com os dedos.

— Não diga mais nada — pediu ele, contrito, mas sem raiva, ciente de que o rival já estava morto.

— Você também sabe que o prazer sexual pode acontecer sem amor. Louisa cedeu e depois, grávida, sentiu-se obrigada a uma penitência: aceitar calada as manias e os desaforos de Masterson, que, afinal, o reconheceu como filho. Nada fácil, pois eles pouco se deitavam juntos. Acho até que o duque era desinteressado do sexo. Enfim, há muitas possibilidades para a tensão permanente entre eles, mas nenhuma delas tem a ver com você. — Jess apertou a mão que a afagava, em sinal de apoio. — Uma delas seria o secreto desejo de Louisa de engravidar outra vez. Deve ter tentado excitar o marido por algum tempo, achando que a culpa pelo desinteresse era dela. Não conseguindo, optou pela traição.

No olhar, Alistair revelou incompreensão quanto ao excessivo desvelo de Jess por sua mãe. Ela própria havia sofrido na vida devido a sentimentos de desespero e de inadequação.

— Enfim, você não é responsável por nada do que aconteceu — prosseguiu Jess. — Livre-se desse peso antes de se tornar a pessoa mais destacada da família da qual não se sente parte, mas que terá de aceitar. Nesse sentido, não poderei ser útil a você.

— Não fale assim. — Alistair beijou de novo a testa de Jess.

— Minha infertilidade me abalou no começo da minha vida conjugal. Mas Tarley e eu contávamos com Michael e com as crianças que um dia ele viria a gerar. Você perdeu seus irmãos mais velhos, portanto, a missão é sua.

— Não sou mártir, Jess. Já me sacrifiquei bastante por essa farsa familiar. Jamais desistirei de você. Nem por um filho nem por nada.

— E ficará vulnerável à culpa e ao remorso. Prefiro perder você agora, enquanto existe amor entre nós, a testemunhar anos de infelicidade de Louisa e o seu arrependimento. Viveríamos muito mal, suponho.

— O que deseja que eu faça? Se eu não tiver você, não terei mais ninguém. Nem todos têm o que querem.

— Cuide dos seus negócios, da sua vida. Habitue-se à sua nova condição social. Ganhe dinheiro. Mais à frente, com as bênçãos de sua mãe, saberá onde me encontrar.

Os lábios de ambos se tocaram em um beijo suave. Atormentado, Alistair tinha de admitir que o que Jess dizia era sensato e racional, embora seu pensamento vagasse em outro plano.

— Cuide bem de você e de sua irmã, Jess. Não vou tardar em voltar. Esteja pronta, com meu anel de rubi no dedo. Ou... não sei!

— Alistair saiu da saleta apressado, levando consigo o coração da amada.

Assim que entrou, Hester instalou-se à mesa posta para o café da manhã, mas Jess não começava o dia sem meia taça de clarete.

— Soube que o marquês de Baybury esteve aqui bem cedo — disse a irmã mais nova. Ao som do título de Alistair, Jess franziu a testa e engoliu o vinho de um só gole. Havia aprendido isso com lorde Tarley e não conseguira vencer o hábito, embora o marido o tivesse descartado depois de descobrir que estava doente do fígado.

Jess não se importou com o olhar de censura da irmã. Um pouco de álcool em jejum aliviava seu sofrimento emocional. Mesmo assim...

— Nunca a vi tão melancólica — afirmou Hester, sensibilizada com a tristeza da irmã. — Alistair a deixou? — Ela se apegava ao que era óbvio. As mulheres de seu meio só tinham um propósito vital: dar à luz herdeiros; quanto mais, melhor.

— Não — respondeu Jess, apertando a mão magra de Hester. — E nem vai deixar. Ele me ama muito.

— Então resolveu adiar o casamento...

— Ao contrário, propôs-me fugir com ele.

— E você se recusou? Por quê? — Os olhos de Hester cintilaram. — Meu Deus... por favor, não diga que decidiu ficar aqui por minha causa. Não suporto essa ideia. Já fez muito por mim.

— Fiquei por causa dele, porque é o melhor a fazer no momento. Alistair precisa de tempo para se posicionar no mundo financeiro e social. Com o título de nobreza ele agora tem novas prioridades. Não é mais o homem que eu conheci. Porém, se continuar me amando sem recriminações ou lamentos, poderemos ser felizes quando casados. Ele ainda acredita ser o mesmo Alistair Caulfield, mas se tornou marquês de Baybury, o que é totalmente diferente.

— Ele voltará a fim de retomar o relacionamento?

— Certamente. — Jess sentiu uma pontada no coração. — Ele me desejava desde antes de eu me casar com Benedict. Mas quando jovem, você sabe, tinha uma conduta execrável com as mulheres em geral.

— Julgo tudo isso maravilhosamente romântico! — confessou Hester.

— Alistair representa o mundo para mim. Conhece todos os meus segredos, temores e esperanças. Ele também não escondeu nada de mim. E aceita meus defeitos...

— Os dele, no passado, quase todas as pessoas sabem.

Jess considerou muito positiva a manifestação da irmã. Ocultou-lhe, porém, que haviam discutido as possibilidades de separação após o casamento, e que isso acabaria por ser doloroso demais. De fato, a pausa na relação serviria para fortalecer as intenções de ambos.

O rosto de Hester assumiu um ar pensativo.

— Nunca imaginei que Alistair Caulfield fosse tão...

— Maduro? — atalhou Jess, sorrindo tristemente. — Ele enfrentou dificuldades maiores que as minhas ou as suas, maiores que as de muitos homens. A maturidade dele vem do cinismo e de circunstâncias negativas. É mais velho do que os anos de vida indicam.

— O que pretende fazer agora?

— Focar-me em sua saúde física e emocional. Incentivá-la a se reincorporar à sociedade londrina.

— Precisarei de vestidos novos, que possam acomodar meu ventre crescido.

— Use vermelhos e dourados — aconselhou Jess.

— É espantoso — admitiu Hester. — Nosso pai terá um ataque apoplético ao me ver.

Jess riu da imagem engraçada que lhe veio à mente, um segundo antes de a irmã cair da cadeira e desabar no chão, inconsciente.

22.

— MAGRA DEMAIS — SENTENCIOU O DR. LYONS após recolher o estetoscópio e ajeitar os óculos sobre o nariz. — Magra demais para qualquer mulher, sobretudo para uma gestante. É perigoso não se alimentar bem.

— Ela tem comido melhor desde que cheguei, mas isso faz poucos dias, doutor. — Jess disfarçou a preocupação visceral com o estado da irmã. Onde estava Regmont? Ele ainda não a tinha visto de cama. Ou tinha horários estranhos ou sequer voltara para casa nos últimos três dias.

— Não é tempo suficiente — disse o médico. — A paciente deve começar um resguardo imediatamente, deitada, e ingerir várias pequenas refeições, todos os dias. Precisa ser deixada tranquila em sua delicada condição, pois o coração está fraco devido ao emagrecimento.

— Não compreendo. Alguma parte do corpo lhe dói? Hester vem se tornando progressivamente doente já há vários meses.

— Nunca consegui examinar lady Regmont minuciosamente. Ela é bastante reticente. De qualquer modo, parece sofrer de uma leve depressão, e o íntimo da pessoa afeta o corpo mais do que a medicina atual pode entender.

Os lábios de Jess tremeram, mas ela conteve o fluxo de lágrimas que ameaçava jorrar. *A vida é muito frágil, preciosa e curta*, pensou.

O doutor guardou o pagamento da consulta e saiu sem mais comentários. Jess sentou-se na beirada da cama da irmã e reparou na palidez de sua pele outrora luminosa.

Hester sorriu debilmente.

— Não fique tão séria — reclamou. — Só estava um pouco nervosa e meu enjoo matinal era severo, mas agora já passou.

— Escute-me — disse Jess em tom autoritário. — Você tem de aceitar minha vigília constante, à beira da sua cama, a partir de hoje.

— Acabou de dar uma amostra — respondeu Hester secamente.

— A primeira de muitas. — Jess pegou a mão da irmã a fim de amenizar o que dizia. — Você deve ajudar no esforço do meu sobrinho ou sobrinha para crescer saudável dentro da sua barriga!

— Sou menos forte que você. — Os olhos de Hester se umedeceram.

— Forte? Ando bebendo em excesso. Mandei meu amado embora por temer que ele me mandasse primeiro, o que eu não aguentaria. No navio, um marujo agrediu um menino, e quando me confrontei com ele, pensei que ia desmaiar de medo. Então, sem desculpas. Você comerá e beberá o que eu trouxer, e em poucos meses nos dará a todos uma criança forte e saudável.

— Como quiser, senhora! — Hester teve energia para gracejar, recebendo um beijo na testa e vendo Jessica sair rumo à cozinha da casa.

Michael ingressou no escritório de Alistair e deparou com ele a estudar desenhos e linhas de um projeto de irrigação de solo. Reservou um minuto para absorver a visão do amigo, bem diferente do rapaz com quem passara boa parte da juventude.

— Está com uma aparência horrorosa — comentou, notando as roupas desleixadas e as feições contritas de Alistair. — E o que faz aqui, em vez de estar na mansão de Masterson?

Alistair olhou para cima.

— Nada no mundo me faria residir sob o mesmo teto que ele.

— Já sabia que essa seria a resposta.

— Então por que perguntou?

— Para irritar você.

Com um resmungo, Caulfield endireitou-se na cadeira e passou os dedos pelos cabelos. Michael imaginava como seriam pesados os primeiros meses do amigo em sua nova condição social. Um ano e meio após a morte de Benedict, ele apenas começava a sentir-se dono da própria pele.

— Já tenho aborrecimentos suficientes sem a sua ajuda.

— Mas para que servem os amigos? — provocou Michael. — Terá problemas maiores quando sair da toca e aparecer em público, nas festas da elite. Já existem pessoas dizendo que você me substituiu como o solteiro mais cobiçado da praça, e por isso lhe sou eternamente grato.

Michael sentou-se à cadeira ao lado da escrivaninha. A decoração náutica do espaço não era desprezível, mas estava longe de corresponder à nova imagem do ocupante. Servia bem a um homem antes conhecido como aventureiro e conquistador, o que tornava Alistair Caulfield ainda mais deslocado ali.

— Não sou solteiro, não no meu entendimento.

— Mas não é casado — pontuou Michael. — Está determinado a conquistar Jessica?

— Ela já é minha. O resto não passa de formalidade.

— Espero que você não tenha tomado certas liberdades — alfinetou Michael.

Era um pensamento obsessivo nele. Como viúva de seu irmão, Jess era membro da família Sinclair e uma amiga dileta. Havia amado Benedict e o fizera feliz. Passara todo o tempo da doença ao lado dele, ignorando os eventos sociais. Tudo somado, ela merecia que ele protegesse sua integridade e seus interesses.

Tamborilando os dedos nos braços da cadeira, Alistair estudou o amigo com ar de superioridade.

— O tipo de relacionamento que tenho com Jess não é da sua alçada — disparou.

— Se tudo está bem e se suas intenções são boas, por que não anunciar o noivado?

— A decisão não é só minha. Jess pediu um tempo para ajeitar certas coisas...

— Tais como?

— Como a necessidade dos Masterson de terem um herdeiro. Ou a infelicidade de minha mãe com a escolha que fiz. Ou uma eventual urgência de procriar que venha a me acometer.

— São todos argumentos razoáveis.

— O que não é razoável é o meu amor por Jessica. Isso levou tudo longe demais, e é impossível voltar atrás agora.

— Tudo exceto seu passado repleto de mulheres de ocasião — acrescentou Michael secamente. — Raras vezes você não cheirava a perfume feminino. — Para surpresa dele, Alistair corou de vergonha.

— Não faço mais isso — defendeu-se ele. — O homem que tem a sorte de conquistar a companheira certa, só pode amá-la e prendê-la a si para sempre.

Michael entendeu bem. Suspirou, pesaroso, pela chance perdida com Hester.

Uma batida soou à porta e um criado, pedindo desculpas pela interrupção, anunciou a chegada da duquesa de Masterson. Contrito, Alistair autorizou a entrada de Louisa, além de insistir com Michael para que permanecesse onde estava e participasse do encontro. Ele tomou a mãe pelo braço e indicou-lhe a melhor poltrona do escritório. Ambos possuíam cabelos negros e olhos azuis, eram charmosos e inerentemente sensuais, donos de um charme aliciante.

— Milorde — agradeceu ela em voz modulada e dirigiu-se a Michael: — Você me parece estar bem e cada vez mais bonito.

— É um sublime prazer vê-la, Vossa Graça — disse o herdeiro dos Tarley, beijando a mão enluvada da senhora.

— Irá ao baile de máscaras promovido pelos Treadmore? — indagou ela.

— Não o perderia por nada.

— Excelente. Por favor, ajude meu filho a ambientar-se na festa.

— Não tenho tempo para tais banalidades — atalhou Alistair em tom incisivo.

— As pessoas irão comentar. Faz anos que você se ausenta dos eventos sociais — disse Louisa.

— E esse, quando será?

— Quarta-feira, o que lhe dá cinco dias para rever sua agenda. Muita gente, especialmente as moças, querem vê-lo. Tenho orgulho de você e não é nenhum crime desejar que apareça em público.

Michael cruzou os braços, sorrindo. Era uma rara satisfação testemunhar a rendição de Alistair à vontade de outra pessoa.

— Então eu irei — concordou ele, enquanto a mãe esboçava um sorriso triunfante. — Mas só se minha noiva me acompanhar. Ela tornará as coisas mais suportáveis.

— Sua noiva... — A duquesa agitou-se na poltrona, maravilhada. — Oh, Alistair. Quem é ela?

— Jessica Sinclair, lady Tarley.

— Tarley — a mulher repetiu, olhando para Michael.

— Minha cunhada — informou ele timidamente.

— Claro, claro. Mais velha do que você?

— Apenas dois anos.

— Foi casada com Benedict, o lorde Tarley, não?

— Por muitos anos. Uma união feliz e prazerosa, embora sem filhos — respondeu Michael, já com uma dose de raiva pelo interrogatório. Mas a duquesa não tinha como saber o que Alistair conhecia bem.

— É uma mulher adorável, a mais bela do mundo — emendou Alistair, observando a expressão predadora da mãe. — Espero que se encontrem na festa e que a senhora mude seus critérios de apreciação. Só ela me fará feliz. Que tal mandar-lhe um recado, um convite, de modo a facilitar a conciliação?

A duquesa engoliu em seco.

— Sim, farei isso — assegurou ela. Mas disfarçando a contrariedade, pediu licença e retirou-se.

Os dois homens comemoraram com um brinde de conhaque, apesar da relutância de Michael, que vivia uma volta à juventude, quando Alistair, sempre convincente, o fazia tomar álcool logo pela manhã.

— Você é um completo asno, amigo — disse ele. — Anunciar um noivado assim, de repente, para sua mãe e na minha presença.

Alistair mostrou-se calmo e relaxado.

— Foi exatamente a sua presença que reduziu as restrições que ela poderia apresentar. Também fiz valer minha posição, meu título. Com isso, minha mãe poderá pensar no assunto e talvez ponha minha felicidade acima de outras considerações.

— Você sempre foi imprudente, mas esse tipo de informação afeta outras pessoas, inclusive Jess.

— Está me dizendo que não agiria assim, caso se tratasse de atrair lady Regmont para você?

Michael gelou, ponderando a indagação. Levou em conta sua raiva por Edward Regmont e achou melhor não responder. Com um meio sorriso, Alistair avisou o amigo de que tinha compromissos.

— Ninguém passa tédio com você, Baybury — observou Michael antes de se despedir.

— Ah, outra vez o título! Deve estar zombando de mim.

— Melhor se habituar, pois o ouvirá dezenas de vezes durante o baile de máscaras.

Jessica dispensou a modista assim que esta terminou de fazer os ajustes em seu novo vestido de seda, de tom vermelho claro. O modelo longo tinha gola mais baixa, revelando parte do colo, e destoava das roupas sóbrias ou de luto que Jess vinha usando por mais de um ano. Não obstante, ainda era discreto.

— Essa tonalidade de vermelho é original — comentou Hester depois de se sentar na cama e ver o traje atraente que Jess vestia ao entrar no quarto.

Rodeada por montanhas de travesseiros e almofadas, lady Regmont parecia pequena e muito jovem, embora a decoração do quarto fosse inegavelmente sóbria. Levando em conta o gosto extravagante da irmã, Jessica achou que o dormitório tinha um acabamento conservador, em tons de cinza e gelo. O efeito geral era dramático, sombrio, fora de suas expectativas.

— Tem toda a razão — comentou Elspeth, lady Pennington, que visitava as duas irmãs. Jess imaginou o que o vestido de seda significaria para Michael; talvez que ela tivesse mudado, tornando-se mais impulsiva e mais próxima da paz interior que almejava.

— Bem, não tive oportunidade de usar um vestido desse tom antes — disse Jess, como que se desculpando.

— Use-o só em ambientes privados — sugeriu a irmã.

De que forma aquela situação, avaliou Jess, impactava a condessa, que tinha sido como uma mãe para ela nos últimos meses? Estaria ressentida pela mulher de vermelho querer aprimorar a aparência e o humor?

— Querida, não se incomode comigo — assegurou Elspeth, cortando o rumo de seus pensamentos. — Benedict a amava. Ele gostaria de vê-la o mais feliz possível. Também é o que desejo para você.

— Obrigada. — Jess cerrou os olhos, comovida.

— Eu é que lhe devo gratidão — retrucou a condessa. — Você encheu de alegria os últimos anos de vida de Benedict. Assumo essa dívida.

Uma criada de uniforme entrou no quarto.

— Acaba de chegar uma encomenda para a senhora, lady Tarley. Posso trazê-la?

— Alguma razão especial para nos interromper? Não pode deixá-la no meu quarto?

— Veio com instruções de entrega imediata — esclareceu a moça antes de sair em busca da remessa.

— Intrigante. Alguma sugestão, Jess? — perguntou Hester.

— Nenhuma. — Ela rezou para que fosse uma carta ou recado de Alistair. Embora datasse de apenas alguns dias, a separação entre eles se mostrava pesada, quase assustadora. Não fosse pela saúde precária da irmã e pela vigília permanente que praticava sobre ela, Jessica sairia em busca dele no mesmo instante.

Minutos depois a criada reapareceu, trazendo um cesto que logo pousou no chão. Um fraco ganido vindo debaixo do pano que o cobria fez Jess se aproximar dele. Lady Pennington animou-se diante do mistério. Jess agachou-se e o desvendou: era um pequeno filhote de cachorro, bonito e peludo. Ela o pegou no colo e sentiu o corpinho quente e pulsante, agradável ao tato.

— Vejam só! — disse, instantaneamente encantada.

— Meu Deus! — gritou Hester. — Um cachorrinho!

Rindo, Jess examinou a coleira de couro, com inscrições, no pescoço do animal. *Acheron*, estava escrito em um dos lados. No outro, simplesmente: *Com todo o meu amor, ALC.*

— Quem mandou essa criatura? — a condessa quis saber.

— Baybury, com certeza — afirmou Hester.

Jess abriu o envelope que acompanhava o cesto. O lacre de cera, com as iniciais do nome, denunciava a nova condição social de Alistair Lucius Caulfield. Ela leu o bilhete:

Minha querida e obstinada Jess,

Que o amiguinho aqui incluso possa lhe trazer alegrias. Encarreguei-o de vigiar, proteger e distrair você como sinal do meu amor.

Sua Graça insistiu para que eu comparecesse ao baile de máscaras dos Treadmore daqui a cinco dias. Disse-lhe que só iria se você me acompanhasse. Suportarei o infernal transtorno para que possamos nos rever. Encontro combinado? Lembranças à sua irmã, com votos de pronta recuperação.

Com toda a minha paixão,

Alistair.

Havia um desenho no papel, um esboço do coreto que ele construíra na Jamaica. A recordação dos momentos juntos fez Jess pender a cabeça para um lado e apoiá-la na mão livre. Aos poucos, lágrimas se formaram em seus olhos.

— Não chore, Jess! — pediu Hester, alarmada.

— Está tudo bem, minha cara? — perguntou a condessa, se aproximando da amiga. — Chora pela saudos e querida Temperance?

Jess apertou Acheron e a carta contra o peito.

— Não. Choro pela brevidade da vida. Benedict era o homem mais saudável que eu conhecia. Alistair perdeu dois irmãos. Hester e eu perdemos nossa mãe. Não devemos nos deixar abater por tanta infelicidade. Precisamos lutar por ela e exigi-la.

Elspeth colheu Jess nos braços e depois segurou Acheron.

— Animalzinho adorável — comentou, a fim de resgatar Jess de tanta tristeza.

— Acho que logo terei a oportunidade de estrear esse vestido novo — informou ela, reanimada.

23.

ERA INEGÁVEL O FATO DE QUE UTILIZAR UMA máscara no rosto liberava as pessoas de suas inibições.

Alistair lembrou-se disso ao cruzar o espaço, repleto de mesas, do salão de festas dos Treadmore rumo à pista de dança ao fundo. No trajeto, foi notado — e insistentemente olhado — por muitas jovens bonitas, dispostas a causar boa impressão ao futuro duque de Masterson. Lembrou-se também da época em que atendia, em troca de dinheiro, senhoras carentes de sexo. A memória do passado o abatia e envergonhava. Contrapunha-se a ela, porém, o texto no bilhete que recebera de Jessica, que havia decorado.

Meu amado e teimoso Alistair,

Seu presente e suas palavras me tocaram o coração e me encheram de alegria. Quando o vir de novo, pretendo demonstrar a profundidade da minha gratidão. Quanto ao baile, nada me demoveria da chance de um reencontro. Agora ou em qualquer evento futuro. Esteja prevenido.

Sempre sua,

Jessica.

À esquerda dele estava o velho Masterson, com sua aparência sempre austera. À direita, sua mãe distribuía charme a todos que se aproximavam. Todavia, ela não tinha escrito nada a Jess, como Alistair já esperava. Ainda bem que ele tomara a iniciativa de um contato.

— A filha de Haymore é um encanto — murmurou Louisa, utilizando o leque para apontar a jovem que se afastava.

— Não me recordo dela.

— Você a avistou faz um minuto. Ela ergueu a máscara de propósito, para que pudesse vê-la.

— Acredito — retrucou Alistair de forma displicente.

A orquestra instalada no balcão superior sinalizou o início das danças por meio de algumas notas de abertura. Dezenas de convivas abriram espaço na pista, convergindo para as laterais do salão.

— Vão começar com uma quadrilha — declarou a mãe de Alistair secamente. — Espero que convide algumas dessas belas jovens para dançar. Seria educado.

— Já fui polido com todas — retrucou ele.

— Você é um ótimo dançarino. Gostaria de apreciá-lo na pista. Assim como os demais convidados.

— Mãe — disse Alistair, fitando a orquestra no balcão. — Não vou dar margem a boatos e a especulações sobre meu critério de seleção de pares. Estou fora do meio social e me recuso a sugerir o contrário.

— Você sequer avaliou suas possíveis parceiras de dança! — protestou ela em voz baixa, sem disfarçar o entusiasmo com os primeiros acordes da música. — Está envolvido com uma mulher bonita, mais velha e bastante sociável. Reconheço o valor dela nas atuais circunstâncias, mas você a considera uma ponte de acesso à alta sociedade. Só que existem outros meios: o título que já possui e o que pode herdar. Além disso, está se abstendo das implicações. Ela é viúva, Alistair. Bem mais experiente do que uma debutante e disponível para você fora dos laços do matrimônio.

Caulfield inspirou com força, lutando para controlar a raiva crescente que tomava conta dele.

— Pelo nosso bem, vou fingir que não escutei isso. — Cerrou os dentes quando notou Masterson alheio à conversação. — Até onde vai sua hipocrisia, antes de perdoar de verdade minha mãe? Ela já não penou o bastante?

O duque continuou olhando para a frente, como se nada tivesse ouvido. Alistair tirou a máscara e cravou os olhos em Louisa.

— Eu também já paguei o suficiente. Por toda a vida, desejei sua felicidade, mãe. Suportei muita coisa desse homem, mas, neste assunto, não serei submisso.

Os olhos da duquesa, umedecidos, feriram o coração de Alistair, mas não existia remédio para a aflição dela. Pelo menos nenhum que ele pudesse lhe oferecer. Uma onda de murmúrios invadiu o salão ao mesmo tempo que Alistair, antecipando do que se tratava, sentiu um delicioso calor percorrer-lhe as veias. Saboreou a tensão que o tomava quando Jessica estava por perto. Largou a máscara nas mãos da mãe e estendeu os braços a fim de receber a amada. Sabia que estavam sendo observados por todo o público ali presente, inclusive pelos que se distraíam na pista de dança. Ele não se importou, empolgado com a nova figura de Jess: envolta em seda vermelha, tinha os ombros praticamente à mostra, ligeiramente cobertos apenas pelos cabelos soltos, assim como o vão superior dos seios. Jess imaginou que talvez, sem querer, tivesse exagerado no atrevimento. Na verdade, o corpo inteiro dela exalava pecado e sedução, embora os homens que a cobiçavam com o olhar, salvo Alistair, fossem todos empedernidos hipócritas. O que mais o impressionou foi a desinibida superioridade com que Jess enfrentou a situação. Até mesmo o andar dela se tornara mais sensual. Ele devorou cada detalhe da aparência de Jessica, incapaz de conter a forte e súbita tensão erótica que se instalou entre ambos.

Jess retirou a máscara simples em torno dos olhos cinzentos e observou o amado com inegável paixão e expectativa. Ninguém que os observasse duvidaria da importância que tinham um para o outro. Mostrava-se corajosa. Tinha sido levada a uma quase surdez e a sofrimentos físicos por um pai parecido com muitos dos convivas, e ainda assim decidira comparecer à festa sem hesitação ou reservas. Sem medo.

Para Alistair, ninguém mais existia no salão. Não para ele. Não com os olhares que trocavam e que diziam mais do que palavras. Jessica exibia seu amor por ele em todos os gestos, de forma completa e incondicional.

— Percebeu, minha mãe? — O questionamento foi firme, apesar de malicioso. — Entre todas as mentiras, não há verdade maior do que a que está à sua frente.

Caulfield moveu-se na direção de Jess em busca do perfume feminino, de um mero toque na pele dela. Poderia abraçá-la e senti-la melhor caso dançassem. Mas ainda não era o caso, pois a quadrilha estava em curso. A roupa dela, Alistair refletiu, era uma declaração de amor e de atenção às vontades dele. Já não era a mesma mulher que estivera no navio. Já não o via como alguém demasiado para ela, nem a si mesma como inadequada a ele. Alistair admitiu que agora a amava mais do que antes. E, certamente, a amaria ainda mais no dia seguinte.

— Milorde — sussurrou ela, mergulhando-o em seu olhar afetuoso. — O modo como me observa...

Ele meneou a cabeça, confirmando que seu coração estava aos saltos. Era óbvio que estava louco por ela.

— Senti sua falta. Foi um tormento. — Os dois sorriram, deliciados com as próprias e intensas sensações.

Ouviram-se os acordes iniciais de uma valsa. Alistair pegou Jess pela cintura e apontou para a pista. Ela reconhecia que ele era o mais atraente cavalheiro no salão, com sua beleza máscula revestida por um terno escuro e formal, que potencializava sua presença marcante. O conhecimento de que aquele homem bonito e desejável lhe pertencia alterou o fôlego já ofegante de Jess. E a maneira como a olhava... Era um absurdo ter pensado em deixá-lo.

— Está me convidando para uma valsa? — perguntou ela quando já estavam na beira da pista.

— Desculpe-me. É a única parceira que vejo aqui.

O aperto da mão dele em sua cintura quase a levantou no ar. Outra mão ergueu-lhe o braço. Ficaram próximos, escandalosamente próximos. Passaram a dançar com uma elegância misturada a sensualidade, às vezes de rostos colados, ou, quando possível, de corpos unidos. Os outros pares interromperam os próprios passos para dar espaço à dupla. Aos poucos, todos se colocaram ao redor da pista, a fim de admirar o luminoso casal. Os comentários antes críticos ou reticentes se transformaram em exclamações positivas.

Nunca haviam dançado juntos, mas Jess tinha imaginado a cena muitas vezes. A proximidade só não era definitiva em função do decoro.

— Eu te amo — confessou Jess ao ouvido de Alistair. — Por minha vontade, nunca me afastarei. Sou muito egoísta, preciso de você!

— Vou tirar esse seu vestido com os dentes — anunciou ele.

— Vai estragá-lo... Tinha esperança de que gostaria desta roupa.

Os olhos de Alistair brilharam de forma estranha.

— Se gostasse só um pouco mais, estaria agora de joelhos, tentando sugá-la.

Jessica o apertou mais contra si, experimentando o perfume viril de sândalo com um toque cítrico que exalava dele. Começou a odiar as luvas que lhe cobriam parte dos braços, bem como as dezenas de pessoas aglomeradas em torno deles, o que impedia qualquer manifestação maior de intimidade. As notas dos violinos a lembraram da primeira noite no navio, em que revira Alistair após anos de distanciamento. Agora, nada os separaria.

Mesmo com os passos tradicionais da valsa, Alistair conseguia encostar as pernas nas de Jess, e, por vezes, até mesmo seus quadris se roçavam. Ele transmitia calor, além de volúpia. Dançava como fazia amor, num estilo íntimo, poderoso, alternando movimentos agressivos e controlados, que exigiam Jess toda para ele.

Ela o fitou de modo suave e denso. Viu paixão nos olhos dele.

— Todos podem perceber como você se sente a meu respeito — comentou ela.

— Não me importo, desde que você perceba.

— Sim — confirmou Jess, acelerando o ritmo conforme Alistair a conduzia. Ela tornou-se cada vez mais excitada. Corou, arrebatada, ao sentir os lábios dele na pele nua de seu ombro. A promessa de uma intimidade maior aqueceu-a por dentro.

— Como vai sua irmã? — perguntou ele, introduzindo uma pausa no crescente e mútuo desejo.

— Melhorando a cada dia. Resguardo e cama eram do que ela precisava.

— Exatamente do que eu preciso também. Ao seu lado. Hester poderia dispensar sua ajuda por quatro semanas?

Jessica sorriu. — Quando as proclamas do casamento forem divulgadas, ela já terá condições de passar sem mim. Poderá me solicitar apenas ocasionalmente.

— Bom. Eu também preciso de você.

A música terminou. Restava ao par reunir-se à família Masterson, mas Alistair tomou a dianteira e disse algo à mãe. A certa distância, Jess notou o ar contrafeito da duquesa e evitou aproximar-se. Fosse o que fosse, Alistair não desviou o olhar firme. Havia a força da convicção na atitude dele, sempre determinado a aceitar desafios. Não cederia à mãe, ainda que esta reagisse mal à escolha que ele fazia.

— Não posso ficar muito esta noite — disse ela ao noivo, que retornava. — Ignoro o que ocupa Regmont até tarde da noite, mas ele só chega em casa depois que todos estão dormindo, e sai de novo antes do café da manhã. Conhecendo-o bem, eu diria que está me evitando. De qualquer modo, alguém precisa fazer companhia a Hester, e Acheron também necessita de mim.

Alistair abaixou a cabeça até que os lábios de ambos ficassem perigosamente próximos.

— Não me cabe retê-la. Foi muito bom rever você, abraçá-la, tocá-la. Se não faz objeção, passarei a cortejá-la publicamente.

— Faça isso. — Inebriada pela proximidade e pelo afeto do amado, Jess felicitou-se por não beber mais, havia dias, sua habitual taça de clarete. Com isso sentia-se mais lúcida, mais vigorosa. — Do contrário, sofrerei na boca do povo com apelidos ofensivos. Você há de me tornar respeitável, milorde.

— Depois de tê-la levado a pecar?

— Com você e para você, sempre serei uma pecadora... — retrucou ela com suprema graça.

Alistair beijou-lhe a mão enluvada antes de a supreender:

— Venha. Deixe-me apresentar-lhe minha mãe e Masterson antes que se vá.

E assim aconteceu, de maneira fria e formal.

Alistair recolheu o chapéu e o casaco grosso, depois dirigiu-se à porta de entrada a fim de aguardar sua carruagem. Com a partida de Jessica meia hora antes, todo o brilho do salão se fora com ela, dando-lhe um bom motivo para ir embora também.

— Lucius!

As pernas de Caulfield fraquejaram. Com os músculos retesados, virou-se para identificar quem o chamava.

— Lady Trent!

Ela se aproximou, movendo os quadris de forma generosa e molhando o lábio inferior com a ponta da língua.

— Wilhelmina — corrigiu a dama. — Já fomos muito íntimos para mantermos tal formalidade.

Ele conhecia, do passado, a lascívia e o olhar felino daquela senhora, um marco de elegância — e de futilidade — nos meios sociais. Uma sombra de vergonha o envolveu. Por causa de Jessica, já tinha descartado as antigas muralhas que o protegiam das amantes de ocasião. Agora compreendia o próprio valor e não tinha saudade do que havia feito com mulheres como lady Trent. Ao contrário, só de pensar nisso, sentia repulsa.

— Nunca fomos íntimos — declarou com firmeza. — Boa noite, senhora Wilhelmina. — E afastou-se apressadamente na direção da calçada, aliviado.

Ouviu o estalo do chicote do condutor, empenhado em estacionar o veículo à menor distância possível do proprietário. Pouco depois de embarcar, viu o trajeto bloqueado pelo congestionamento de carruagens na via pública. Suspirou e relaxou, recordando o momento em que apresentara Jessica aos pais. Os três tinham se mostrado consumados adeptos das conveniências e fingimentos sociais, a ponto de conversarem normalmente. Pelo menos, pensou Alistair, Masterson e Louisa não haviam hostilizado Jess abertamente, trocando gentilezas com ela antes de caírem em silêncio mortal. O encontro, que se dera com tanta facilidade, o fez desconfiar.

Devagar, a carruagem alcançou um dos portais de concreto, que exibia a escultura de um leão no topo, onde de novo parou. Nesse instante, uma mão enluvada de branco invadiu a cabine pela janela aberta e tocou o ombro de Alistair. Perplexo, ele reconheceu Jess e seu sorriso brilhante. Largou a bengala com a qual batia nervosamente no chão e a ajudou a entrar. Muito provavelmente, ela também tinha ficado presa no trânsito e tomara uma decisão feliz.

— Se for para furar meu corpo, você dispõe de algo melhor do que essa bengala... — maliciou ela, acomodando-se enquanto alisava a seda de seu traje.

— O que está fazendo, Jess?

Ela se virou para ele, pressionando os seios em seu peito.

— A valsa pode ter sido suficiente para você, mas não foi para mim. — E, dizendo isso, cerrou rapidamente as cortinas da carruagem. Em seguida, ergueu o vestido até acima dos joelhos e sentou-se no colo de Alistair, provocante como nunca. Caulfield olhou a barra do corpete que lhe desenhava as curvas não expostas e suspirou de impaciência, pronunciando o nome dela. Tinha a pele quente, e o peito espremido por Jessica não lhe fornecia o ar necessário. Experimentou sensações voláteis demais para ser contidas. Ela o surpreendia e seduzia com incrível facilidade.

— Devo-lhe desculpas. — A melodiosa voz feminina o atingiu em cheio. — Tive medo da situação. Lamento ter-lhe causado, por um instante que seja, alguma dúvida ou dor. Eu te amo e você merece o melhor de mim — disse Jessica enquanto mexia os quadris sobre a virilha dele.

— Já tive o melhor de você. E ainda pretendo ter muitas vezes mais. Você é maravilhosa, Jess.

Ela levou os dedos à braguilha de Alistair e começou a abrir os botões, atrapalhada pela luva.

— Devagar — ele chegou a pedir.

— Estou louca por você. O modo como dançou comigo… — Os olhos de Jessica brilhavam tanto que ela parecia febril. Não estava longe disso. — Pensei que minha excitação passaria depois que parti, mas ela só aumentou.

O sangue de Alistair pulsava no mesmo ritmo de seu órgão viril, que ela já empunhava.

— Vou levá-la para minha casa.

— Não. Não posso abandonar Hester por tanto tempo. Nem esperar mais.

Alistair também não. O plano de Jessica, de arrebatá-lo sexualmente no interior de uma carruagem, fugia a qualquer pensamento racional. Algum pedestre poderia flagrá-los, e a polícia, prendê-los por atentado ao pudor. Mesmo naquelas circunstâncias, ele queria dar à noiva o que ela desejava. Talvez um outro casal apaixonado se conformasse com a abstinência forçada, mas não *aquele* casal.

— Vou levar você até o fim, mas tem que ficar bem quieta — alertou ele.

Jess meneou a cabeça concordando, após retirar a boca do órgão do amante e reclinar-se no banco da carruagem. Viu-o posicionar-se, quase de pé, de modo a possuí-la por inteiro.

— Estamos cercados — repetiu ele. — Precisamos nos mexer devagar, senão o barulho da carruagem em movimento não encobrirá nossos ruídos.

Já com ele dentro dela, Jess arqueou-se e envolveu com os braços suas costas másculas.

— Claro, seremos inventivos — disse ela.

Talvez todo aquele frenesi, maior do que o prazer físico, fosse um desdobramento do encontro com o casal Masterson, que não aceitava Alistair e muito menos a mulher que ele amava. Sua situação familiar era diferente da que Jess vivera com Tarley. Quem sabe seria o destino dos dois conviver e usufruir do sexo sempre em perigo.

Inquieto, Alistair apossou-se da intimidade de Jess com a proverbial competência, mas com inédito respeito. O cenário não era o ideal para um homem tão viril e uma joia tão brilhante da sociedade, cujas facetas perfeitas se mostravam inacessíveis ali.

— Jess... — murmurou ele entre os dentes no momento da posse.

— Eu amo você — disse ela, pronunciando as palavras como se as respirasse.

24.

JESS NÃO SE MOVEU POR UM LONGO MINUTO, preocupada. — Também tenho medo de um flagrante. Estamos empatados.

— Mas você sabia, desde o começo... — murmurou Alistair, beijando-a nos lábios. Depois, empenhou-se em remover com os dentes as luvas femininas que o incomodavam. Para ela, a ação teve um componente erótico. A visão de Alistair puxando as peças brancas despertou um instinto primitivo em Jess. Com os dedos livres, ela poderia tocá-lo com mais eficácia. Lembrou-se da promessa dele de tirar-lhe o vestido de seda da mesma maneira.

— Sabia, mas é impossível resistir. Quero sentir você inteiro.

As luvas caíram no chão da carruagem. Alistair afagou-lhe toda a pele dos braços e das mãos, detendo-se no anel de rubi que lhe trazia forte comoção. Quando ele a tocou com a língua entre as pernas, Jess produziu um som abafado. Não poderia ficar mais excitada do que já estava. Assim, segurou a roupa acima da cintura com uma das mãos, e com a outra guiou-lhe o membro ereto rumo à sua intimidade. Alistair não evitou um sussurro de prazer. E Jessica vibrou com a antecipação da volúpia que o amado deixaria pelo caminho.

Ao mesmo tempo, os dedos de Alistair percorreram as coxas de Jessica em toques ritmados, preparatórios. Ela adorou isso também. Mais ainda quando ele achou uma passagem na barra inferior do corpete e esfregou, certeiro, as dobras secretas de Jess. Ela puxou com os dedos o tecido branco de baixo, liberando-lhe o acesso.

— Você está quente e molhada — constatou ele, esfregando dois dedos no clitóris de Jess. — E me deixa fora de mim.

Sem as luvas, Jess sentiu-se livre para comprovar com as mãos a magnífica ereção do homem que tinha sobre si. Acariciou aquele instrumento de prazer com uma pressão bem dosada, cujo resultado foi potencializar a disposição do parceiro e retirar dele qualquer cuidado com eventuais ruídos, capazes de denunciá-los. De fato, Alistair rosnou ao penetrá-la, preenchendo-a por inteiro. Ela estava pronta e acessível. Assim se sentia desde o momento em que ele a fizera esvoaçar pelo salão de baile, mas sem deixar de tocá-la com o próprio corpo nos pontos certos.

Durante o ato em si, Jess mexeu-se pouco, devido à falta de espaço. Restringiu-se, passiva, a seguir o andamento da própria carruagem, cujas rodas às vezes batiam em pedregulhos soltos no pavimento. A posição de Alistair também era forçada. Parecia apressado em terminar. Ele sentiu a proximidade do orgasmo, enquanto ela percebia a pulsação do membro.

— Poderia ficar assim eternamente. Espere-me um pouco — pediu ela.

Estoicamente, Alistair se manteve dentro dela, deslizando o órgão viril por pontos sensíveis. Jess merecia o esforço para conter-se. Em uma pausa, ele levantou ainda mais o vestido dela, reutilizando os dedos e a língua a fim de estimulá-la. Suspirou ao ver Jess reagir de forma positiva, sem afetação. Ela absorvia todos os gestos voluptuosos do amante, determinada a compartilhar o êxtase próximo. De tempos em tempos, ele apertava com mãos firmes o corpo de Jess, como se necessitasse de um momento de possessiva ferocidade para adiar o próprio clímax. No entanto, ela não conseguiu ficar inerte. Segurou o pênis dele, já lubrificado com seu próprio líquido natural, e nunca teve tanta satisfação ao masturbá-lo. Depois, realizou uma manobra que sabia ser da preferência de Alistair: dirigiu com as mãos o membro para o interior de seu corpo e, segurando-o pela base, passou a esfregar a glande no clitóris, até começar a ofegar. Como um prêmio à dedicação de Alistair, encarregou-se então do movimento de vaivém, um tanto tosco devido às condições do ambiente, mas capaz de levá-lo ao clímax. O orgasmo dele veio intenso, irrefreável, e Jess o compartilhou, livre de amarras. Nesse momento, ela estremeceu e conteve, com a mão sobre a boca, o som e o arrebatamento do próprio êxtase.

Tinham terminado juntos, dando fim à pressão dos sentidos, mas o ato em si havia sido um tanto frustrante, devido às limitações do local. Saciados, mas doloridos, ambos estavam de acordo quanto a isso. Trocaram um olhar de amor e de entusiasmo. E prometeram buscar, sem demora, uma nova oportunidade. Pela primeira vez em minutos, entre afagos e palavras carinhosas, puderam escutar os ruídos vindos da rua.

Recompuseram-se depressa, prontos para voltar à normalidade.

Existiam muitos aspectos no homem que amava, pensou Jess. Alguns suaves como plumas, outros francamente selvagens ou mesmo depravados. Ela não conseguia imaginar-se vivendo sem nenhum deles. Em conjunto, tais traços de caráter formavam um todo que a completava. Os olhares mútuos se perderam um no outro até que a carruagem se aproximou do bairro de destino.

Minhas simpatias às debutantes que procuravam rivalizar com a encantadora marquesa. A antes fria lady T., agora viúva, pretendeu levar o apático lorde B. à mesma fogueira que a consumia. Caros leitores, o calor no ambiente era palpável. Algo escandaloso e infame, porém delicioso...

Michael acabou de ler a coluna do jornal em voz alta e observou a reação de Alistair, que se limitou a erguer as sobrancelhas.

— O que foi? — indagou ele para o amigo.

— Não seja modesto. Eu vi Jessica ontem à noite. Aquele vestido decotado... O que você fez com a minha cunhada?

— Melhor perguntar o que ela fez comigo. A resposta seria mais completa, garanto! — num rápido exame pelo salão do Clube Remington, Alistair Caulfield travou contato visual com diversos conhecidos, que pareciam intrigados com sua felicidade. O interesse se devia ao fato de que todos sabiam de sua mudança de comportamento. Não perdiam por esperar, pois ele ainda burilava tal mudança.

Naquela mesma manhã, havia visitado a viúva de um dos irmãos, na tentativa de oferecer-lhe assistência e conforto. Ela havia recebido um bom legado financeiro, mas tinha amado o marido e precisaria mais do que dinheiro e propriedades para seguir em frente em boa forma emocional. Precisaria de um ombro forte no qual se apoiar, e Alistair disponibilizou o dele, pois sabia quão importante um ente querido podia ser pelo simples fato de acordar de manhã e respirar. Assim, segurou a cabeça da cunhada junto de seu peito, imaginando como iria agir em uma segunda visita.

— Seu nome e o de Jessica foi tudo o que ouvi nas últimas horas — disse Michael, interrompendo o fluxo de pensamentos do amigo.

— O anúncio do nosso noivado vai aparecer nas colunas sociais de amanhã, cobrindo boatos e interesses escusos com o devido manto da respeitabilidade. A notícia devia ter saído ainda hoje, mas... atrasei-me na volta do baile dos Treadmore.

Alistair tinha decidido conservar aquela carruagem até o fim da vida. Ele e Jess poderiam até influenciar outras pessoas com sua mútua paixão, porém jamais o veículo — cenário de um ato de amor e sexo — seria reformado, vendido ou destruído. Quem sabe não serviria para uma pitoresca repetição?

— E quanto a seus pais? — perguntou Michael. — Pareceram pouco empolgados.

Alistair deu de ombros, sentindo uma leve pontada no peito, mas não a responsabilidade pela conduta dos pais.

— Eles encontrarão um modo de lidar com o assunto.

O amassar do jornal chamou a atenção de Caulfield para os punhos cerrados do amigo. Imaginou o que teria dito para provocar tal reação. Foi então que notou Michael fitando alguém ao longe e, seguindo-lhe o olhar, percebeu que o conde de Regmont entrava no salão ao lado de mais dois amigos.

— Vamos convidá-lo para um drinque? — indagou Alistair, voltando as costas para os recém-chegados.

— Está maluco? — Michael estreitou os olhos de forma estranha. — Mal tolero a respiração dele, pois indica que está vivo.

Nada mais precisava ser dito. A despeito das circunstâncias similares, Alistair não queria se intrometer, considerando que o próprio irmão de Michael, Benedict Tarley, tinha cobiçado e possuído *sua* Jessica.

— Que diabo deu nele? — desabafou Michael. — A esposa está em casa, doente e grávida, e Regmont borboleteia por aí como se fosse solteiro.

— Muitos nobres agem assim.

— Muitos nobres não são casados com Hester.

— A solução que lhe sugiro é deixar o país, mas você não pode.

Michael contemplou o amigo, curioso.

— É por isso que se ausentou da Inglaterra por tanto tempo? Por que Jessica se casou com Benedict?

— Em grande parte, sim.

— Não fazia ideia. Você resolveu bem a situação.

Alistair balançou uma mão de forma displicente.

— Na verdade, escondi a realidade de mim mesmo. Convenci-me de que meu interesse por Jess seria vencido graças à complacência. Ou seja, que minha decepção pessoal não deveria atingi-la. Se soubesse quanto ela me desprezava, na época, teria fugido de medo.

— Mas você está diferente agora — acrescentou Michael, estudando a fisionomia de Alistair. — Menos agitado, mais calmo. Domado por uma mulher, talvez?

— Droga! Baixe a voz quando falar assim.

Uma risada rouca desviou a atenção de Michael para o espaço atrás de Alistair. Pediu licença e se levantou, enquanto o amigo meneava a cabeça e pedia outra dose. O fato era que ele também não entendia Regmont. O único motivo para ele, Caulfield, estar no clube, consistia em não ter Jess a seu lado.

— Lorde Baybury.

Atendendo ao chamado, Alistair deparou com o sorridente Remington, dono do estabelecimento.

— Posso me sentar com você por um momento? — pediu o homem.

— Claro.

— Não vou incomodá-lo por tempo demais. Se não voltar logo para casa, minha esposa é capaz de vir me buscar dentro de um clube masculino! Perdoe-me pela ousadia, mas acho que vivemos problemas parecidos. Como proprietário, sei bastante sobre os sócios, e compreendo que a atual situação é difícil para você.

Alistair calou-se. Deduziu que Remington se referia a questões familiares e de paternidade, sendo ele próprio filho bastardo de um duque. Embora fosse o descendente mais velho da duquesa Louisa de Masterson, seu irmão mais novo, porém legítimo, herdaria o título e as propriedades da família. Ao compreender que Remington conhecia sua condição — um segredo partilhado apenas pela mãe, por Masterson e por Jessica —, ele se surpreendeu. Certamente, o proprietário ouvira rumores quando Alistair se associara ao clube, mas talvez tivesse informações mais precisas; talvez soubesse o nome de seu verdadeiro pai...

— Se precisar de assistência ou apenas de um ouvido amigo, conte com minha ajuda — disse Remington, surpreendendo ainda mais o interlocutor.

— Quer dizer que nós, bastardos, devemos ficar unidos? — perguntou Alistair, um pouco a sério, um pouco de brincadeira.

— Algo dessa natureza.

— Obrigado. — Existiam pessoas cuja amizade valia a pena, e Lucien Remington era uma delas.

Uma gritaria vinda do bar pôs de pé o ágil dono do clube, que se desculpou antes de se afastar para verificar do que se tratava. Alistair olhou por sobre o ombro e reconheceu Regmont e os amigos, que discutiam entre si junto do balcão.

— Só um instante — solicitou, segurando Remington pelo braço. — Levando em conta que a esposa dele logo se tornará minha cunhada, acha que Regmont será um problema também para mim?

— Sim, claro. Para todos. — Remington curvou-se em sinal de despedida e se afastou por fim.

De pé, Alistair procurou Michael e o achou no bar, perto do grupo de Regmont, mas não como parte dele.

— Vamos embora — propôs ao amigo.

— Ainda não. — Michael vasculhou o bolso interno do casaco e pegou a caixa prateada em que guardava os charutos, além de um lenço branco de linho. Ali perto, Regmont ria e protestava diante da advertência de Remington para manter-se quieto ou retirar-se do clube.

— Não é aconselhável ficar aqui. — Alistair pressentia confusão no ar. Regmont, embriagado, achava-se na fronteira entre o desafio fútil e a estupidez. Michael, por sua vez, claramente se preparava para uma boa briga.

Lorde Taylor, um dos acompanhantes de Regmont, deu um passo para trás, esbarrando, assim, em Michael, que acabou derrubando o lenço e a caixa prateada. Os caros charutos rolaram livres pelo chão.

— Mais atenção! — gritou Michael, curvando-se para pegar seus pertences.

Regmont censurou Taylor, depois agachou-se para ajudar Michael. Apanhou um charuto e o lenço, que pousara aos seus pés e lhe chamara a atenção pela beleza.

Michael estendeu a mão para pegá-los.

— Obrigado.

O conde passou o polegar pelas letras bordadas no canto do lenço. — Monograma interessante — comentou ele.

Observando a cena, Alistair soltou um impropério em voz baixa diante do inconfundível "H" bordado em linha vermelha.

— Por favor, Regmont — insistiu Michael.

— Acho que não devolverei tudo — disse Edward, entregando o charuto a Michael, mas guardando a peça branca no próprio bolso. — Isto me pertence, creio eu.

A tensão de Michael era palpável. Alistair tocou-lhe o braço, como para avisá-lo para ter cautela. O olhar feroz de Regmont denotava sua predisposição para o confronto físico.

— Se deseja o lenço, venha pegá-lo.

Michael cerrou os punhos, enquanto Remington se colocava entre os dois homens. Resolveu intervir, ladeado por funcionários do clube. — Podem decidir essa pendência lá embaixo, senhores — disse ele, apontando o lugar onde ficava o ringue de pugilismo —, ou então lá fora, mas não permitirei violência aqui.

— Prefiro um duelo com pistolas, ao ar livre — desafiou Michael, para desalento do amigo Alistair. — Nomeie seus padrinhos, Regmont.

— Taylor e Blackthorne — respondeu ele, apontando os dois atentos acompanhantes.

Michael balançou a cabeça.

— Baybury e Merrick são os meus. Eles discutirão os detalhes amanhã. Até breve.

— Mal posso esperar — disse Regmont, enquanto Michael saía calmo, alheio ao perigo a que tinha se exposto.

25.

Querida,

Confesso ter pensado em você o dia inteiro, da maneira que certamente gostaria. Espero que esteja bem.

ACHERON ROSNOU EM SUA ALMOFADA AOS PÉS de Jessica. Ela fez uma pausa e pôs de lado o papel com o recado de Alistair. Então afagou o animalzinho, reprovando a impaciência dele.

— O que o incomoda?

O cachorro ensaiou um latido e foi raspar com as patas a porta fechada da sala. Quando Jess apanhou seu xale a fim de levar Acheron para passear, escutou uma voz masculina alterada em meio a uma discussão. A fonte do ruído tornou-se reconhecível no instante em que abriu passagem para o corredor. Vinha do quarto de Hester, conjugado ao de Edward Regmont.

— Não admira que esteja inquieto — murmurou Jess para o cãozinho, desfazendo-se do xale. — Fique aqui.

A cada passo na escada, a voz de Regmont soava mais potente, fazendo--a ofegar. O temor que sentia pela irmã já lhe era familiar.

— Você me humilhou. Por todos esses dias... O encontro com Tarley... Não admito ser traído!

As respostas de Hester eram inaudíveis, mas o ritmo frenético sugeria raiva... ou pânico. O barulho de algo caindo se fez ouvir e Jess abriu decidida a porta do dormitório da irmã.

Deus! Hester se apoiava na cabeceira da cama, o rosto sem expressão, os lábios esbranquiçados, e os olhos cheios de terror. Um ferimento lhe escurecia a parte esquerda da testa.

De costas para a porta, Regmont vestia traje de noite e, mesmo de longe, cheirava a tabaco e álcool. O criado-mudo estava caído no chão, bem como o lampião decorativo. O conde reagiu aos brados ao ver lady Tarley.

— Vá embora, Jessica! Isso não é da sua conta.

— Talvez comece a ser — retrucou ela, trêmula. — Sua esposa espera um bebê e tem ordens do médico para não se desgastar ou se aborrecer de nenhuma forma.

— E o bebê é realmente meu? — rosnou ele de forma ofensiva para Hester. — Quantos homens estiveram com você?

— Saia, Jess — suplicou a irmã. — Corra!

Jess se negou, gesticulando com a cabeça.

— Não. Você não pode continuar sendo a minha salvadora!

— Vá embora, Regmont! — A voz de Jess o açoitou como um chicote. — Trate de sair daqui.

Ele se aproximou de Jessica, fazendo o coração dela disparar. Os olhos do conde, avermelhados, nada revelavam além de extrema maldade. O punho dele armou um soco, como sempre acontecia quando não conseguia ganhar uma discussão com alguém fisicamente mais fraco.

— Esta é a minha casa! — esbravejou. — E você... você veio para cá com seus modos indecorosos e criou escândalo em torno do meu bom nome. Agora sua irmã segue pelo mesmo caminho. Não vou tolerar isso!

Mas os ouvidos de Jess suportaram o som da iniquidade. Regmont ameaçava ensiná-la a se comportar. O quarto parecia girar. Ela tinha vivido tal situação antes, escutado as mesmas palavras da parte de seu pai violento. Muitas e muitas vezes...

O temor foi embora tão depressa como havia chegado. Estranhamente calma, Jess entendeu que não era mais uma mulher sozinha e medrosa. Contava com Alistair para protegê-la. Se ele tivesse de ir até lá em seu socorro, Regmont pagaria por seus atos.

— Bater em mim — disse ela — será o maior erro da sua vida.

Edward riu, mas baixou o braço que mantivera erguido mesmo assim.

Ao sair do Clube Remington, Michael montou em seu cavalo e venceu todo o trajeto com uma ideia fixa: recuperar o lenço que lhe fora dado de presente por sua querida Hester. Desejava vê-la a seu lado e o marido, morto. Alistair também montou e passou logo a censurar o amigo.

— Esse duelo é uma rematada tolice, sem falar no risco que representa. Seja mais inteligente e mais... resignado. Se matar Regmont, poderá escapar da Justiça indo para outro país. Mas sua família sofrerá sem você. Hester ficará inconsolável com a perda do marido. E Jessica mudará de atitude para comigo, julgando-me envolvido na história. Então, vai se sentir melhor?

— Você não tem noção de como vivo. Hester precisa de proteção e estou impedido de dá-la.

— E eu não sei? — indagou Alistair com suavidade, notando a agitação do amigo.

— Não, não sabe. Acima de qualquer inveja que possa ter tido pela sorte do meu irmão, ele cuidou de Jessica, dando-lhe conforto e felicidade. Você nunca precisou se preocupar com a eventualidade de Benedict levantar a mão contra ela. Se a visse com medo, ou ferida, ou...

Alistair puxou as rédeas com tanta força que o cavalo relinchou em protesto. O encontro das patas do animal com os pedregulhos das ruas lembrava uma tempestade na escuridão.

— O que você está dizendo?

— Regmont bate na mulher. Descobri isso ao observar marcas e sinais na pele de Hester. Minha mãe também notou.

— Maldição! — O tom furioso de Alistair indicava uma mudança nas suas ideias. — E você o deixou livre. E se já estiver em casa?

O ódio de Michael cresceu.

— O que posso fazer? Hester é esposa dele. Estou de mãos amarradas.

— Jessica também mora lá! E tem pavor da violência de um homem.

— Como assim?

— O pai delas, Hadley, era abusivo — disparou Alistair. — Batia nas filhas com varas, de modo a lhes provocar bastante dor.

— Cristo! — exclamou Michael.

— Vamos passar pela Mansão Regmont e ver se as meninas… se Jessica e Hester estão bem... — Dizendo isso, Alistair esporeou o cavalo, guiando-o velozmente através das ruas cheias de carruagens. Dessa vez, foi o amigo quem o imitou.

Jess viu o braço de Regmont subir de novo e se esquivou do golpe, recusando-se a buscar abrigo. Todavia, antes do segundo tapa, um barulho estranho reverberou pelo quarto. Ela olhou em volta com cautela e notou os olhos de seu algoz revirar até se fechar. Então ele caiu no chão pesadamente, desmaiado, com um filete de sangue manchando-lhe os cabelos claros. Em um assomo de coragem e lucidez, Hester agira sorrateiramente e o atingira na cabeça com o atiçador de ferro da lareira. As irmãs estavam atônitas.

— Jessica!

Sim, Alistair tinha invadido a casa e tomado providências para deter Regmont sem saber que isso já se tornara desnecessário. Ele pegou as mãos de Jess entre as suas, enquanto Michael resgatava Hester de seu refúgio na cama e a abraçava com carinho.

Guiando as duas pela cintura, os homens as levaram para o lado oposto do cômodo, menos caótico, mas, mesmo assim, tiveram de passar por cima do corpo inerte de Regmont. Alistair entregou a Jess uma taça de vinho, cuja garrafa repousava no aparador da lareira.

— Tome. Beba isto — insistiu ele.

— Ele… ele está morto? — perguntou Jess.

— Creio que não.

Jess contemplou a bebida por um bom tempo, como se fosse o elixir da paz. Sentia a garganta seca e as mãos trêmulas, sintomas que seriam aliviados pelo vinho, mas ela almejava mais do que isso. Não voltaria atrás em sua determinação. Parte de seu passado estava estendida no chão, até mesmo espalhada por toda a casa. Depois daquela noite, o abandonaria no mesmo lugar e partiria para outra realidade, menos penosa.

Ela só não foi capaz de degustar a bebida porque naquele momento os joelhos de Hester fraquejaram e a irmã desabou no chão. Como estava abraçada a ela, Jess tombou junto. Debilitadas e nervosas, ambas deixaram-se ficar ali, necessitadas de um pouco de paz e repouso. A jovem grávida manteve a mão sobre o ventre, sentindo pontadas fortes.

A noite já ia alta quando Michael voltou trazendo o médico. Os feridos já estavam deitados em suas respectivas camas: Regmont tinha uma toalha em volta da cabeça; Jess cuidava da irmã, aplicando-lhe compressas frias na testa para tentar diminuir-lhe a febre. Mas o real e sério problema de Hester consistia no corrimento vaginal tingido de sangue.

— Ela atingiu o marido com o atiçador, depois começou a se queixar de dores na barriga — contara Michael ao dr. Lyon, enquanto Jess não se conformava com o fato de não ter notado antes os sinais do abuso físico que a irmã sofria. Ela presenciou os exames, mas os homens foram impedidos de entrar no quarto.

Quase uma hora depois, Alistair pôs de lado o conhaque que bebia quando Jess entrou na sala, seguida do doutor.

— Regmont recebeu alguns pontos no alto da cabeça. Em uma semana, com curativos e bandagens, ficará novo em folha — disse Jessica, que reservava a pior notícia para o fim. — Hester terá que se internar para uma curetagem e passará alguns dias no hospital, em observação.

— O que houve com ela? — inquietou-se Michael, engolindo de uma só vez a bebida que tinha em mãos.

— Perdeu o bebê por conta de um aborto espontâneo. — Jess exibiu os olhos úmidos de pesar, mas o sentimento de culpa também a assolava. A irmã sofrera espancamentos debaixo de seu nariz. — Hester poderá morar conosco, depois do casamento? Duvido que permaneça aqui por mais tempo do que o necessário.

— Claro. — Os olhos de Alistair revelavam tristeza e compaixão. Os de Michael, amor e inconformismo.

Grata, Jess pousou as mãos nas do noivo, que a confortou em meio à sua confusão mental, dando-lhe forças para cuidar de Hester.

— Nesse meio-tempo — disse Michael —, vocês duas podem morar comigo. Há lugar de sobra em casa e minha mãe estará livre para atendê-las. Ela será de grande ajuda.

O ruído seco de um tiro de pistola quebrou o silêncio que se seguiu à conversa, acompanhado de um grito de pavor. Todos, inclusive o médico, correram para a escada. Ultrapassando os outros, Michael já se encontrava no meio dos degraus, ansioso, por isso chegou primeiro ao quarto de Hester.

O dr. Lyon manteve-se no corredor, o rosto demonstrando consternação. O pânico tomou conta de Jess ao aproximar-se da irmã. Hester estava incólume, embora aterrorizada. Apontou a porta interna, bem trancada, que ligava seu dormitório ao de Regmont.

— Ele tentou arrombá-la, mas não conseguiu. Então...

O médico avisou que a porta do corredor também estava trancada. Sem trocar uma palavra, Alistair e Michael se juntaram para arrombar a porta de ligação entre os quartos e abrir passagem para o cômodo do conde. Deitado, ele sangrava muito na cabeça, vazada por um tiro fatal na têmpora. Simplesmente, havia tirado a própria vida.

— Estava inconsciente quando comecei a dar os pontos — esclareceu o dr. Lyon. — Acordou e mostrou-se furioso, gritando por lady Regmont. Pedi para acalmar-se e baixar a voz, pois a esposa repousava no quarto ao lado depois de ter sofrido um aborto. Ele pareceu enlouquecido, correndo pelo aposento em busca de algo que agora sabemos ser uma pistola. Preferi sair e deixá-lo sozinho.

Jess e Hester escutaram tudo e viram parte da cena pela fresta da porta arrombada. Jessica ergueu-se a fim de ir até o quarto do conde, mas Alistair, percebendo a intenção dela, a impediu.

— Não entrem aí — ordenou ele. — E, principalmente, não toquem em nada. — Dizendo isso, juntou-se aos outros homens e os três se acomodaram na sala, à espera da polícia.

— Hester! — gritou Jess, trêmula. — Foi Regmont. Matou-se. — Não seria disparate pensar que o homem quisera invadir o quarto da esposa, fosse para matá-la primeiro, fosse para se suicidar na frente dela, infernizando-lhe o resto da vida.

Jess sentou na cama da irmã e afagou-lhe os cabelos e a face lívida. Compreendeu que, como uma criança rejeitada, Hester precisava de muito amor e compreensão. As dores no corpo eram secundárias diante de seu destino fatídico; na mesma noite, perdera o filho e o marido. Não importava que amasse um por antecipação e desprezasse o outro.

— O homem que cheguei a odiar e temer enfim se foi depois de tentar me agredir. Sinto alívio — confidenciou Hester com sabedoria.

Jess a abraçou.

— Não deve pensar mais nisso.

Hester ficou em silêncio por alguns instantes e tinha a boca seca ao falar de novo.

— Na verdade, sabendo que perdi o bebê, preferiria que ele tivesse me matado antes de se matar. Mas ele quis prolongar minha agonia. Foi impiedoso e egoísta até o final.

— Fique quieta. Precisa descansar.

— Lembra-se de como ele era no começo? O homem com quem me casei? — Hester parecia obcecada por desabafar, e Jess a ouviu, meneando a cabeça. — Posso me sentir feliz com a ausência dele, mas estou igualmente triste...

— Talvez pelo que deixou de viver ao lado de Regmont nos últimos anos.

— Talvez. O que farei agora? — Hester retomou o silêncio e aproximou-se ainda mais da irmã.

— Um dia de cada vez. Você está viva, é capaz de comer, banhar-se, conversar com as poucas pessoas que considera suas amigas. Com o tempo, toda a mágoa irá passar — disse Jess, passando os dedos pelos cabelos revoltos da irmã. — Chegará a manhã em que você vai acordar e entender que a dor interior está só na memória; e isso lhe devolverá as forças para seguir adiante.

Lágrimas densas arderam nos olhos de Hester e molharam a blusa de Jess.

— Eu só queria ter meu bebê, ter uma criança linda e saudável. Pensei que Regmont mudaria por causa da minha gravidez, mas ele me acusou de adultério, sabia? — disse ela entre soluços, parecendo prestes a desmaiar.

Jess espantou-se. Tudo se podia esperar de uma índole má como aquela. Sacudiu a irmã pelos ombros, a fim de reanimá-la.

— Nada a impede de engravidar de novo. De Michael, por exemplo. Mas não importa o que aconteça, estarei sempre com você.

— Isso por si só já me deixará feliz — foi a resposta sussurrada.

Alistair entrou em casa com a alma sobressaltada. A dor de Jessica o contaminava. Seu coração estava pesado em vista da tristeza e do horror que, naquela noite, tinham dominado a vida dela. Na sala, consultou o relógio de pedestal. Era muito tarde; mais um pouco, e o novo dia estaria amanhecendo.

— Sua Graça o espera no escritório, milorde — informou o mordomo ao recolher o chapéu e as luvas de Caulfield.

— Há quanto tempo?

— Há quase quatro horas, senhor.

Claramente, tanta espera significava que a mãe não tinha notícias boas para lhe dar. No estúdio, ela lia um livro, sentada em uma poltrona com o colo coberto por uma manta fina. O fogo crepitava na lareira. Uma luminária na mesa ao lado iluminava as páginas e também o rosto de Louisa, outrora muito belo, mas ainda atraente. Ela olhou para cima.

— Alistair.

— Mãe. — Ele rodeou-lhe o assento e livrou-se do casaco. — O que há de errado?

— Talvez devesse perguntar o mesmo a você.

— Atrasei-me demais. Peço desculpas. O dia foi infindável, e a noite, sinistra — comunicou ele, sentando-se na cadeira mais próxima, mas reservando para mais tarde o relato das ocorrências na Mansão Regmont. — O que deseja de mim?

— Preciso sempre desejar algo quando peço uma visita?

No rosto envelhecido, ele notou pequenas rugas de cansaço em torno dos olhos e da boca. Eram sinais que já tinha identificado em lady Regmont sinais de uma mulher com problemas conjugais. Nunca os veria no rosto de Jessica, porque preferia morrer a lhe causar semelhante desgosto.

Sem aviso, rendendo-se à exaustão, Alistair trocou a poltrona pelo sofá, onde se esticou para cochilar um pouco. A mãe prosseguia entretida em sua leitura. O sono dele não durou. Em pouco mais de uma hora, com o dia já despontando, acordou agitado sob o peso dos acontecimentos. Louisa pediu à criada um desejum reforçado para os dois, e Alistair se refez após se alimentar. Só ficou confuso e descrente perante a manifestação da duquesa.

— Queria lhe contar que Albert está namorando uma jovem encantadora, de boa família. O nome dela é Ema e os dois pretendem se casar logo.

— Então será avó como sempre desejou — foi o comentário dele.

— Rezo pela felicidade de seu irmão tanto quanto rezo pela sua, Alistair. Refleti muito e cheguei à conclusão de que o enganei durante anos, filho. Não faz mal que Jessica seja estéril. Mais importante é que sejam sempre amorosos um com o outro, como já são. Meu coração se aquece ao vê-lo tão amado e admirado.

— O mesmo vale para mim em relação a Jess. Ela conhece o pior de mim e me ama a despeito dos meus erros. Ou justamente por causa deles, porque me fizeram ser como sou agora.

— É um dom maravilhoso o de ser amado incondicionalmente. Não consegui dar isso a Masterson, mas espero ter a chance de mostrar a você que posso. Meu coração sempre lhe pertencerá.

Ainda exausto, Alistair sentiu alívio e contentamento. Apertou com os dedos uma almofada. Precisava abraçar a noiva, confortá-la, e buscar a própria paz junto com ela.

— Obrigado, mãe. Seu apoio significa muito para mim.

Louisa meneou a cabeça e murmurou uma bênção ao filho.

— Eu te amo, Alistair. E pretendo lhe demonstrar quanto. A partir de hoje, não haverá mais reservas nem desconfianças entre nós.

— Vou apreciar muito isso.

A duquesa ergueu-se e se aproximou do sofá. Curvou-se para pressionar os lábios na testa do filho. Tinha de fato modificado seus sentimentos, arrependida, ou apenas o incentivava a relatar as ocorrências da noite que chamara de sinistra? Bem, não valia a pena preocupar-se com isso, depois de ter sido finalmente brindado com a aceitação calorosa da mãe.

— A senhora será uma avó feliz. Não para meus filhos, uma vez que não os terei, mas para os de Albert e Ema, que certamente lhe darão muitos netos. — Alistair devolveu o sorriso franco que a duquesa lhe abria, banindo a melancolia antes estampada em seus olhos azuis.

EPÍLOGO

ATÉ QUE TUDO SE ACALMASSE, LOUISA ADIOU por dez dias sua vontade de ir à Mansão Regmont depois de ouvir o relato do filho. O suicídio do conde havia repercutido intensamente nos meios sociais. A versão principal era que ele estava atolado em dívidas. Outra, como a de Lucien Remington, dizia que tinha sofrido uma crise de pânico diante da perspectiva de ser mortalmente baleado por Michael no duelo em negociação. O adversário, além de bom pugilista, era tido como exímio atirador.

— Sua irmã me parece bem — comentou a duquesa de Masterson assim que iniciou sua visita a Jessica e Hester.

Esta, mais corada, já se mantinha de pé e passeava ao lado de Michael nos jardins do solar. Ele a apoiava com o braço amigo.

— Sim, ela está mais forte a cada dia. E se lembra de coisas que a animam e a fazem rir — disse Jess, espiando pela janela. Até mesmo o velho Masterson havia comparecido à visita e desfrutava o dia de sol carregando o neto no colo, embora o herdeiro já ensaiasse os primeiros passos. O patriarca tinha mudado bastante, tornando-se um avô calmo e cordial.

— O jovem lorde Tarley não esconde o prazer que tem na companhia de Hester — percebeu Louisa enquanto Jess fixava o olhar no bonito par que Michael formava com sua irmã.

— É como um membro da família. Mas nos últimos dois anos provou-se imensamente valioso para nossa paz e segurança. Tanto quanto seu filho Alistair. Por falar nisso, onde ele está?

— Anda estudando um problema de irrigação. Espero que ele saiba que Masterson está bem impressionado com sua conduta.

Não havia meio de saber, porque os dois homens raramente trocavam uma palavra, porém essas discórdias familiares agora tendiam a ser esquecidas. Segundo Louisa, Alistair vinha demonstrando excelência não só no setor da navegação, mas também nos cálculos e projetos de engenharia. Jess sorrira ao ouvir isso. Ele também era excelente no uso de seus atributos físicos, porém isso constituía privilégio e prazer exclusivos dela.

O tempo passou e mudou muita coisa na vida daquelas pessoas. Conforme o previsto, Jessica e Hester foram morar com os Masterson, e o convívio entre todos revelou-se surpreendentemente agradável. O chefe do clã tinha perdoado a esposa, Louisa, e reconhecido Alistair como filho legítimo. Albert e Ema se casaram discretamente, já que ela se achava grávida, e adquiriram uma casa espaçosa, destinada a criar uma família grande e unida. Com o nascimento do bebê e herdeiro, Alistair transferiu-lhe oficialmente o título de nobreza que abominava. Ele também estava legalmente unido a Jessica após uma cerimônia civil e religiosa sem alarde e sem festa. Mesmo assim, a união entre uma nobre dama e um ex-libertino despertou comentários entre os especuladores da vida em sociedade e distraiu Hester durante sua recuperação. Nada poderia apressar a cura completa, porém, mais do que a devoção incondicional de Michael.

Cada vez mais apaixonados e inseparáveis, Michael e Hester adiaram o matrimônio para depois do primeiro aniversário da morte de Regmont. Seria a ocasião certa, segundo promessa de Jessica, para uma grande reunião social, comemorativa de todos os bons eventos. Na verdade, o casal havia resolvido aguardar a liberação médica de Hester, com a garantia de que poderia engravidar sem perigo. O aborto anterior fora atribuído a questões nervosas e emocionais, mais do que a problemas orgânicos.

* * *

— Milady — a criada interrompeu o chá da tarde entre Jess e Louisa, entregando à primeira uma carta. O sorriso com que abriu o lacre deixava claro quem era o remetente: Alistair. E era mais um bilhete do que um texto longo. *Insuportavelmente solitário. Venha ao meu encontro.*

Jess pediu licença e deixou a saleta. O interior da casa, quieto e pacífico, transmitia uma sensação de intimidade e bem-estar. Ela e Alistair, além de Hester, ocupavam uma ala inteira da vasta propriedade, enquanto o duque e a duquesa viviam em outra. Aquele era o segundo verão que passavam juntos, e o relacionamento havia ganhado novas dimensões. O nascimento do filho de Albert, futuro herdeiro do título familiar, trouxera grande alívio para todos. Jess usou a desculpa de uma festa próxima para reintroduzir a irmã na sociedade londrina. Michael esperava pacientemente a cura total dela, assim como Alistair havia esperado sete anos por Jess.

Num coche alugado, Jessica chegou ao novo escritório do marido, em um centro comercial de luxo. O lugar contava com espaço para a recepcionista, salão de trabalho para os funcionários, além da sala particular do proprietário, dotada de um recanto para repouso, com cama e tudo, obviamente isolado por uma porta com chave. Jess passou direto pela recepção e entrou. Não viu Alistair à mesa nem em outro local. Começou a subir a escada interna em espiral, e então escutou o som de um violino. Rejubilou-se. Ouvir o marido tocar era um de seus passatempos favoritos. Às vezes, ele empunhava o instrumento após fazerem amor, quando a emoção se tornava completa. O mesmo ocorria ao ver os desenhos que fazia, em traços suaves, das expressões dela depois do clímax. Não existiam palavras capazes de descrever a inspiração do autor. De modo eloquente, porém silencioso, Alistair exprimia a frequência e a profundidade com que pensava em Jess. No entanto, ele continuava sendo uma pessoa original, imprevisível, a ponto de montar uma espécie de *garçonnière* em pleno ambiente de trabalho. A Jess, só cabia esperar que fosse a única frequentadora feminina do local.

Ela entrou no pequeno quarto e sentou-se à cama, contente com o volume natural e intenso da música, que Alistair executava de peito nu. O cãozinho Acheron jazia aos pés dele, sobre uma almofada, parecendo extasiado com o som.

À medida que o marido movia o arco, seus músculos se flexionavam, criando visões fluidas, mas fascinantes, que logo aqueceram o sangue de Jess, pulsante de expectativa. Não era só o talento refinado dele que a seduzia, mas também o apelo de sua virilidade. Naquela tarde, ele havia desmarcado compromissos de trabalho só para receber a esposa em seu ninho especial. Encerrou a exibição, sob aplausos discretos da visitante, e guardou o instrumento na caixa. Depois, teve o cuidado de colocar Acheron para fora do quarto, no corredor.

— Gosto de ouvir você tocar — disse Jess em tom suave.

— Eu sei. — Alistair trancou a porta.

Ela sorriu.

— Também gosto de ver seu torso nu e essas costas provocantes.

— Também sei disso — disse ele, lançando-lhe um olhar de tirar o fôlego. Estava excitado e era uma figura bonita de se olhar.

Jess mordiscou o lábio inferior.

— Sinto-me vestida demais, diante de você.

— É verdade, mas isso tem jeito. — Aproximando-se de forma graciosa mas predatória, Alistair tocou com a mão o ventre de Jess em toques voluptuosos, sinal de que confiava em sua capacidade de acender os instintos femininos.

— Qual a agenda que pretende adotar? — Jess começou a despir-se após o gracejo. Para Alistair, era mais fácil, pois vestia apenas calças folgadas.

— Por motivos práticos, temos ficado pouco tempo juntos. E menos ainda juntos na cama. Faz apenas quase um ano que nos casamos e já nos portamos como...

— Pobrezinho. Não me lembro de você ter reclamado seus direitos conjugais.

— Você não se negaria, se eu tivesse. Preferi não aborrecê-la.

Aborrecer? Jessica estranhou o termo e o atribuiu a uma tentativa de fazer graça por parte de Alistair. Havia rispidez e urgência no toque dele. Em resposta, seus mamilos tornaram-se rijos sob o corpete. Ele podia adivinhar, claro. Daí ter-lhe arrancado a roupa de baixo e apertado-lhe os seios com pressão maior do que a necessária. Quente e molhada, Jess sentiu-se faminta de sexo. A tensão dos dois e o empenho em satisfazê-la eram proporcionais aos dias de abstinência.

Ela adorava todos os modos que Alistair tinha de praticar sexo, mas eram especiais os momentos em que ele a procurava em estado próximo ao descontrole. Jess podia abster-se de agitá-lo até a beira do precipício. Vulnerável, era ele quem a levava às alturas, para que caíssem juntos.

Ainda de pé, com as mãos percorrendo as coxas e as nádegas dela, Alistair colou seus genitais aos da esposa.

— Quero uma lua de mel — disse ele. — Semanas em um navio, um mês na Jamaica. Temos negócios em aberto por lá. Hester já está mais forte e pode passar algum tempo sem você. Além do quê, Michael cuidará dela, pelo bem do próprio coração.

— Você poderia viajar agora? Teria condições de se ausentar de Londres?

— Falei com Masterson. É a hora adequada, sim, enquanto ele está saudável e bem disposto. — Alistair beijou-a no rosto, depois nos lábios.

— Sonho em nadar com você, os dois nus, e em fazer sexo debaixo da chuva — confidenciou Jess. — Também quero ver as queimadas. Não é preciso me seduzir assim para obter minha aprovação. Irei com você a qualquer lugar, por qualquer motivo.

— Mas da maneira como estamos fazendo é mais agradável — retrucou ele, feliz. Abrigou sua ereção entre as pernas de Jess e balançou o corpo. — Você só terá que se conter nos gritos que costuma emitir.

— Enquanto você faz de tudo para provocá-los?

— Absolutamente.

— Talvez hoje seja seu dia de gritar. Vou levá-lo a pedir piedade...

— É um desafio, milady? — atalhou Alistair. — Sabe como lido com o assunto.

— Bem, só posso dizer que conto com isso.

Jess espalmou as mãos nas nádegas firmes do marido, guiando-o para a cama. Ali trocaram longas e vigorosas carícias orais que a levaram à beira do clímax. Mas ela, fincando as unhas na colcha, não se permitiu terminar antes de Alistair. Aguardou que ele a possuísse por meio de espertas estocadas, ora lentas, ora rápidas, as quais lhe abriram o portal da satisfação. Liberou seu próprio orgasmo quando sentiu que Alistair estava pronto também. Abraçaram-se durante o glorioso final, entoando juntos um indiscreto coro de gemidos, gritos e sussurros. Jess imaginou que talvez, graças aos momentos intensos e às medicações que vinha tomando, sua felicidade se completasse com uma inesperada gravidez.

Felizmente, do lado de fora da porta, o cachorrinho era o único ser vivo capaz de escutá-los. Acheron sentiu-se instado a reagir, por isso ganiu. Já era relativamente versado nos sons cativantes de um violino... mas não podia compreender o modo como os humanos demonstravam viver um amor sem limites.

AGRADECIMENTOS

Meu afeto integral vai para as caras amigas Karin Tabke e Maya Banks, que jantaram comigo em um resort na Ilha Catalina e me apoiaram enquanto eu vertia lágrimas de frustração. Minha vida se tornou mais luminosa por causa dessa amizade.

Obrigada à minha editora, Alicia Condon, que me permitiu elaborar esta história exatamente da maneira como eu desejava. Foi um presente, pelo qual sou grata.

Abraços para Bonnie H. e Gina D., magníficas webmasters. Agradecimentos a tudo o que fizeram pelo www.thewickedwriters.com — e extensivos a todos os maravilhosos participantes do site.

Seduction

SINOPSE:

Morgan é criadora e apresentadora de um talk-show sobre sexo e relacionamentos, uma profissional bem-sucedida, mas vive tensa com as pautas de seu programa, cada vez mais escassas e passíveis de cair no lugar-comum. Com tantos programas abordando o assunto, ser original não é tarefa fácil. Enquanto busca uma nova pauta, ela ouve falar sobre clubes de sexo e enxerga aí um tema extraordinário para um programa especial.

Pela internet, ela acaba conhecendo um especialista no assunto, que atende pelo codinome de Mestre J. Ele se apresenta a ela com toda a sua postura de dominação viril, construindo já com sua entrevistadora uma relação dominação/submissão. E o que parecia apenas o assunto de um programa desabrocha em desejos que nem mesmo Morgan sabia que possuía.

Mas então surgem outros elementos. Mestre J já a conhecia e está se aproximando dela por outros motivos. Morgan não sabe que pode estar no meio de uma situação que envolve vingança. Mas algumas coisas não podem ser controladas, e novos sentimentos começam a surgir. Acerto de contas, decepções, paixão e desejos ardentes tornam-se cada vez mais intensos... e a vida deles nunca mais será a mesma!

LEIA UM TRECHO DO LIVRO:

[...]

— Você já quis se colocar nas mãos de um homem cujo único propósito fosse lhe dar prazer?

Essas palavras passaram rapidamente pela tela do laptop de Morgan. Ela respirou fundo e ficou um tanto desconcertada. Havia conhecido o homem num bate-papo online menos de três minutos atrás. Como ele poderia saber disso?

Ele devia ter adivinhado, tinha de ter adivinhado. Ela não havia contado nada a ele sobre si mesma, com exceção de seu nome e do fato de querer entrevistá-lo para seu programa de TV a cabo.

Mas, enquanto ela se sentia atordoada e em silêncio, ele continuava a arrancar camadas de seus segredos.

— Você quer que um homem veja você por dentro, conheça todas as suas fantasias, as mais ocultas, aquelas que você não conta nem para seus amigos, e transforme todas elas em realidade?

Ela sentiu um calafrio e excitação. Suas mãos começaram a suar.

Na sala de estar silenciosa, coberta de sombras com as muitas cores do crepúsculo, Morgan se contorceu no sofá de couro, empurrando para o fundo da mente desejos que não ousava admitir.

Ela estava tratando de trabalho. Ele era trabalho. Não era uma boa "entrar como objeto" na fantasia do próximo entrevistado de seu programa. Seu talk show de final de noite na TV a cabo, Papo Quente, era seu trabalho, sua invenção, sua pequena rebelião... sua vida.

Além disso, ansiar por um sujeito cujo nome real ela não conhecia, cujo rosto nunca tinha visto, cujo estilo de vida ela não devia nem considerar... era simplesmente uma coisa idiota.

— Então, Mestre J, é isso que um dominador faz? — ela digitou em resposta, determinada a estabelecer um tom profissional à conversa. — Realiza fantasias?

— Uma das coisas — ele respondeu. — Mas isso seria simplificar demais o relacionamento. Sua meta mais importante é conquistar a confiança da parceira. A confiança é importante em qualquer relacionamento, mas especialmente em um que envolva dominação/submissão. Sem isso, como uma mulher pode se colocar livremente aos cuidados de um homem e saber que seu bem-estar e sua segurança sempre estarão em primeiro lugar? Como ela pode saber que seu mestre a entende tanto que pode transformar em realidade cada uma de suas fantasias mais secretas?

Dominação não era só amarrar alguém na cama e transar loucamente até os dois afundarem no colchão? Morgan franziu a testa, surpresa. Confiança, cuidado, compreensão... ela tinha de admitir, só isso já soava como uma fantasia. Com certeza, ela sentia falta dessas qualidades no relacionamento com o agora ex-noivo, Andrew. Especialmente de compreensão.

— A confiança permite a uma mulher conectar-se com sua parte primitiva que anseia pela entrega total de estar à mercê de seu mestre, apesar de não saber se o que ele planeja para ela envolve prazer, dor ou ambos.

Morgan se calou por um momento. A surpresa era tanta que não sabia o que dizer...

— Morgan? — O nome dela surgiu na tela. — Você ainda está aí?

— Desculpe. Só pensando. Pelo visto, tenho muito a aprender se quiser fazer o programa direito. Achava que só se tratava de cordas de veludo e algemas.

Trata-se disso também. ☺

Ela riu, reprimindo o frio na barriga... e um calor percorreu-lhe todo o corpo. Um pouco de curiosidade não a tornava depravada. Com certeza não. Apenas era interessante ver como a outra metade vivia.

— Mas também é uma troca de poder e confiança — ele digitou. — Uma mulher escolhe conceder a seu mestre o domínio sobre seu corpo e sua mente. Ela entrega sua carne e seu livre-arbítrio para qualquer coisa que ele deseje.

"Que tipo de entrega?", uma voz dentro de sua mente exigiu saber. Mil imagens proibidas se manifestaram em seu cérebro, vindas das profundezas de suas fantasias: ela se ajoelhando diante daquele estranho nu, ele ordenando que ela se exibisse sem pudor para ele poder simplesmente olhar para ela, amarrada a sua cama, enquanto ele se preparava para fazer o que bem quisesse...

Perturbada com a guinada de seus pensamentos, ela tentou escapar deles. Mas a respiração acelerada era inevitável.

Muitas pessoas tinham fantasias com bondage num momento ou em outro, ela havia lido. E mesmo que ela tivesse uma ou duas seria algo normal, não importava o que Andrew dizia.

Morgan se contorceu contra as almofadas de couro novamente, tentando ignorar uma excitação adicional naquele momento.

— Mas um relacionamento D/S envolve muito mais — Mestre J digitou.

— Como você coloca algemas e vendas numa mulher, num cômodo às escuras, e mesmo assim conquista sua confiança? Como é possível desenvolver um relacionamento emocionalmente gratificante quando uma pessoa tem todo o poder?

— Não é assim.

O olhar de Morgan permaneceu grudado na tela enquanto ela esperava mais. Por um momento longo e silencioso, ela conteve a respiração... mas nada. Mestre J não ia responder mais. Igual na cama, ela pensou. Ele tinha o poder de dar ou de negar.

Por fim, uma resposta mais extensa apareceu na pequena janela do bate-papo.

— *Desculpe, mas tive uma ligação urgente. Preciso sair. Se achar que tenho os requisitos para ajudá-la com seu programa, vamos nos encontrar. Eu respondo a suas perguntas então. Em algum lugar público, para que você não se preocupe pensando que eu talvez seja um serial killer com intenção de atraí-la ao perigo. Eu consigo falar mais rápido. Domino muitas coisas, mas não o teclado <risos>. Ainda cato milho.*

Morgan não podia negar que Mestre J a deixara ainda mais intrigada agora do que quando um dos seus assistentes de produção, Reggie, lhe havia apresentado a ficha dele.

Alternando para seu e-mail, ela abriu a biografia resumida que havia recebido e a examinou de novo.

Adepto da prática de BDSM e D/S por quase dez anos, Mestre J tem uma experiência de múltiplas facetas, mas continua a aprender. É dono de uma companhia de segurança pessoal e foi guarda-costas de senadores, diplomatas internacionais e atletas. Graduado pela West Point, também serviu as Forças Especiais militares como líder de equipe antes de receber uma dispensa honrosa.

Morgan fechou o e-mail com um clique! O parágrafo revelava bastante sobre o homem responsável pelas palavras que a tinham feito estremecer com fantasias sombrias e lhe provocado grande curiosidade. Autodisciplina, honra, força. Mas, ao mesmo tempo, o resumo dizia muito pouco. Quem era o sujeito? Ele podia mesmo amarrar uma mulher e provocá-la a ponto de fazê-la implorar?

[...]

A AUTORA

SHAYLA BLACK é uma das autoras mais relevantes de romances eróticos contemporâneos. Escreveu cerca de 40 títulos e vendeu mais de 6 milhões de livros nos EUA. Com uma escrita mais quente e moderna, ela apresenta personagens bem elaborados e dentro da realidade do leitor contemporâneo, que vê nos enredos, muitas vezes, situações eróticas enfrentadas por eles mesmos em momentos do dia a dia. Em seus livros também encontraremos humor, paixão, apreensão e romance. Shayla figura no rol das autoras mais importantes dos EUA, com mais de 30 títulos na lista de *best-sellers* do The New York Times no decorrer de sua carreira.

Publicada em mais de 25 países, a autora vinha sendo acompanhada no Brasil por livros em inglês e espanhol, pelo menos até agora.

Finalmente traduzida para o português pelo selo Hamelin, da Editora Lafonte, que neste ano começa a publicação da série *Wicked Lovers!*

Irresistível
foi impresso em São Paulo/SP pela Gráfica Araguaia,
para a Editora Lafonte Ltda., em maio de 2013.